エスター・ヒックス＋ジェリー・ヒックス
吉田利子 訳

理想のパートナーと引き寄せの法則

幸せな人間関係と
セクシュアリティをもたらす
「ヴォルテックス」

The Vortex

THE VORTEX: Where the Law of Attraction Assembles All Cooperative Relationships

Originally published in 2009 by Hay House Inc., USA

Japanese translation rights arranged with Hay House (UK) Ltd.
through Owls Agency Inc.

Tune into Hay House broadcasting at: www.hayhouseradio.com

この本を、悟りと幸せを願い、この本に答えを求めるすべての皆さんに、
それからわたしたちの四人の孫たちに捧げる。
ローレル（もうじき11歳）、ケヴィン（8歳）、ケイト（7歳）、リューク（もうすぐ4歳）。
まだ忘れていないから疑問も抱いていない君たちは、この本の教えの生きた実例だ。

さらに友人のルイーズ・ヘイ（ヘイ・ハウス出版の創設者）、リード・トレイシー（同社社長）、
ジル・クレイマー（編集長）、そして同社のスタッフ全員に捧げたい。
エイブラハムの教えを全世界に伝えるために、ヘイ・ハウスの皆さんがこれまでも、
そして今も続けてくださっている努力に心から感謝する。

理想のパートナーと引き寄せの法則　目次

Part 2

結婚と「引き寄せの法則」 完璧な配偶者を引き寄せる

Part 4

親子と「引き寄せの法則」
コントラストに満ちた世界で前向きの親子関係を創造する ……… 251

Part 5

自己評価と「引き寄せの法則」

「創造のヴォルテックス」への「魔法の鍵」

Part 6

エイブラハム・ライブ

「引き寄せの法則」ワークショップ

はじめに

ジェリー・ヒックス

これから皆さんは、今まで考えてもいなかった視点から人間関係を深く掘り下げることになる。といっても、この本に示された教えはよくあるような話ではない。すなわち「堅実な若い女性が自由を愛する青年と出会い、恋に落ちて、いっしょに暮らし始めた。二人は働いて暮らしを支え、（ほとんどの場合は）子どもをもうけ、『フルタイム』で働いて、『パートタイム』で遊ぶ。普通は子どもたちがうまく世間で生きていけるように、『政治的に正しい』言葉遣いや行動や信念を持つように育てる……そして長生きできればフルタイムの仕事から引退し――できることならばフルタイムで遊ぶ暮らしに入り、やがては……」というものより、はるかに広くて深い人間関係の側面を取り上げているのだ。

ここに書かれた質問とその回答を通じて、皆さんはさっき言ったような典型的な家族関係についても、きっとさらに深くてさらに現実的な理解に導かれるだろう。だがわたしたちとしては、実際的な意味であなたの「幸せのヴォルテックス《渦巻き》」に日々影響を及ぼし続けている広大な人間関係というネットワークが、実はどれほどの深さと広がりをもち得るかを、もっとはっきりと意識してほしいと願っている。

エイブラハム（聖書に出てくるエイブラハムでも、元大統領のエイブラハムでもない）の教えの中心には、一つの根源的な軸がある。**人生の基盤は自由であり、人生の結果は拡大・成長であり、人生の目的は喜びである、**という考え方だ。

だから、既に聡明な生き方をしている皆さんがこの本の言葉を人生全般にあてはめれば、どうすれば自分にとって最善の人間関係を意図的に創造することができるかがはっきり見えてきて、この教えが持つパワーをありありと感じ取れることと思う。**簡単に言えば、この本の「エイブラハムの教え」によって、あなたの今の、あるいは将来の人間関係すべてがあなたの望むとおりになり、望まないことは減っていく。**

この本はわたしたちが予定している4冊の「引き寄せの法則」シリーズの3作目にあたる。1冊目の『引き寄せの法則　エイブラハムとの対話』は2006年に出版され、すぐにわたしたちにとっては二度目のニューヨーク・タイムズ ベストセラーリスト入りを果たした。次の『お金と引き寄せの法則 富と健康、仕事を引き寄せ成功する究極の方法』は2008年に出版された。そしてシリーズ最後の『スピリチュアリティと引き寄せの法則』の出版は2011年に予定されている。

（註：最初にアマゾンのベストセラーになったのは、2004年に出版された *Ask and It Is Given*：邦訳『運命が好転する実践スピリチュアル・トレーニング』（PHP研究所）だった。その後、4冊のエイブラハム―ヒックス本（すべてヘイ・ハウス出版）が次々と「ニューヨーク・タイムズ」のベストセラーになった。*The Amazing Power of Deliberate Intent*（2005年）：邦訳『「引き寄せの法則」のアメージング・パワー』（ナチュラルスピリット）、「The Law of Attraction（2006年）：邦訳『引き寄せの法則 エイブラハムとの対話』、*The Astonishing Power of Emotions*（2007年）：邦訳『実践 引き寄せの法則 感情に従って〝幸せの川〟を下ろう』、そして2008年8月に出た *Money, and the Law of Attraction*：邦訳『お金と引き寄せの法則 富と健康、仕事を引き寄せ成功する究極の方法』（以上弊社）である）

シリーズ1作目の内容は、1988年（もう20年以上も前になる）に2冊組みのカセットアルバムの一部として公表された。この20本のカセットテープでは、「引き寄せの法則」とお金や仕事、健康、人間関係などについて実践的に語られている。わたしたちの数百にのぼる質問とエイブラハムの率直な回答の中心となったのは、人々が本来の「幸せな状態」をもっとうまく実現する手がかりとなる20の日常的なテーマだった（わたしたちとエイブラハムの出会いから始まるテープをお聞きになりたければ、www.abraham-hicks.com から70分のIntroduction to

Abrahamを無料でダウンロードできる。またテキサス州サン・アントニオのビジネスセンターにCDを注文することも可能)。

オーストラリアのテレビプロデューサー、ロンダ・バーンから連絡があったのは、2005年に行われた「引き寄せの法則」クルーズ・セミナーのときだった。ロンダは「エイブラハムの教え」に関するテレビ番組を制作したいと許可を求めてきた。その後、契約が結ばれ、ロンダはオーストラリアのクルーを引き連れて2005年のアラスカクルーズに参加し、約14時間のセミナーの内容をフィルムに収めた。さらに2006年、わたしたちの1988年のカセットアルバム——「引き寄せの法則」——がもとになって、世界的大成功を収めたロンダ・バーンのDVD「ザ・シークレット」オリジナル版と本が生まれた。

エスターとわたしは改訂版の「ザ・シークレット」には登場していない。だが、わたしたちが出演したオリジナル版が非公式に出回ってから「拡大」改訂版が正式に公表されるまでの間に「ザ・シークレット」には素晴らしいはずみがついて、「引き寄せの法則」に関するエイブラハムの教えが全世界に広まることになった。ロンダが「引き寄せの法則」についてのエイブラハムの基本的な考え方を世界に伝えたいという夢をかなえたことを、わたしたちは大変うれしく思っている。ロンダは「ザ・シークレット」を通じて何百万人もの視聴者に、自分にももっと素晴らしい人生を実現する能力があるという信念を広め、

「求めなさい」と促した。だから今、この人たちは求めている（エイブラハムは「求めること」がプロセスを生み出す第一歩だと教えている）。人々が求め、そして求めたものが与えられる。次のステップは、人々が与えられたものを受け取ることを自ら「許容・可能」にすることだ。

この本を見つけたあなたが既にいい気分でいるなら、本の内容を活用することによって、あなた自身の意志から始まるらせん状のうねりが生じ、人生はもっともっと気分のいいものになるだろう。たった今、あなたがあまりいい気分ではないとしても――それどころか人生は最低だと感じていても――どんどん人生が明るくなり、気分がよくなる考え方をここで学ぶことができる。あるいは、ここで読んだ内容によって自分という存在のパラダイムが転換し、長い間、感じていた無力感が消えて新鮮な喜びがわき起こり、本来の幸福な状態に長期的に一致していられる少数者の一人になれるかもしれない。その状態が実現したら、あなたは波動が合致するすべてを――すべての関係を――磁石のように引き寄せている自分を感じるはずだ。

本や講演、あるいは誰かとの出会いから現実的なアイデアを一つ学べるなら、そのために時間とお金を投入する価値が十分にある、とわたしは言ってきた。新しい考え方一つで自分の思考が変わり、それによって人生が変わる可能性があるからだ。例えば、聖職者である友人のチェット・キャステロウは、1970年にこんなことを言った。

「ジェリー、君が望んでいる成功は決して実現しないだろうな」

「どうして？」とわたしは聞き返した。

チェットはこう答えた。「だって、君は成功した人たちに批判的だからさ」

「だけど」とわたしは言った。「そういう人たちはウソをつき、騙《だま》し、盗みをしているからだよ」

するとチェットは言ったのだ。

「その人たちのウソや、騙し、盗みに批判的なのはいい。だが、君はウソや騙しや盗みに『成功した』ことに批判的だろう。大きな成功を批判しつつ、自分が大きな成功をすることはできないよ！」

そのとおりだった！　わたしは38年前に教えられた考え方、違った見方をすぐに行動に移した。すると、普通なら「偶然」とよばれるような出来事が大波のように次々と押し寄せ、わたしは——喜びのうちに——自分がこうありたいと望み、こうしたい、これが欲しいと願ったすべてのエッセンスを受け取ることになった。だから皆さんにも、自分がこうありたいと望み、こうしたい、これが欲しいと願うすべてを引き寄せる新しい思考パターンのもとになる考え方を、この本から受け取ってほしいと思う。

人間関係をテーマにしたこの本のなかで、エイブラハム（エイブラハムは複数の意識の集団）

は、種々の関係についてのさまざまな（わたしたちのほとんどが当然だと受け入れている）「間違った思い込み」に「もっと広い見方」という光を当て、その実態を明らかにしている。このような間違った（宇宙の自然な法則に照らして「間違った」という意味）思い込みにぶつかったとき、エイブラハムの見方を（自分だけが知っている）人生経験に重ね合わせてみて、その結果、人生がもっとよくなり得ると気づいたとすれば、あなたには人生を転換する――今がよくても、さらにもっといい気分になる――チャンスが与えられたことになる。

わたし自身が長年はまり込んでいた間違った思い込みの事例を二つほど挙げてみよう。この「間違った」信念がたくさんの不満のもとになっていたこと、それから、こっちのほうがもっと重要なのだが、ただ見方を変えるだけで、たちまち人生経験が大きく前向きに変化したことをわかっていただきたい。

わたしの母は生まれながらの頑固者だった。そしてわたしもまた、生まれながらに強情で頑固だった。母は30年以上もの間、ときには暴力的なくらいに、わたしを自分の望みどおりにしようとがんばった。わたしのほうは母と接触するたびに身構え、わたしが望むような態度を母にとらせようと大いに努力した。それにわたしは人前ではいつも母の頑固さを恥ずかしく（同時にちょっと誇らしくも）思っていた。

というわけで、30年以上、母と会うたびに争いが起こった！　だが父の死後、わたしは新しい考え方を受け入れた。偶然にもそれは完璧な考え方だった。二人の間に争いが絶えなかった間、わたしたちがはまりこんでいた「間違った」思い込みとは、「一生懸命にがんばれば、生まれながらの頑固者に柔軟な態度をとらせることができる」というものだった（そんなことが可能だったか？　とんでもない！）。そこで、わたしは新しい考え方を受け入れた。「わたしは母をコントロールできない。そして母もわたしをコントロールできない。だから、わたしは人にコントロールされない、明るい自分でいよう。そして、コントロールできない母をそのまま受け入れよう。ほかの人は母のそんな性癖を（むかつくどころか）おもしろいと思ってくれるのだから、わたしも自分と違う母の愉快な面を探そう」。それ以来、わたしたちはとても楽しくつきあって、幸せになった！

30年以上もぶつかりあい、自制し、争ったあげく、わたしは（母に変われと求めるのではなく）考え方を変えることにした。それから40年、わたしたちは口げんかさえ一度もしたことがない！　考え方が変わらなかったら、こんなふうになるなんて想像もつかなかっただろう。だが、こうなったのだ。

終わりに、もう一つ個人的な「思い込み」のお話をしよう。昔のわたしは「豊かさ」について、貧しいままでいればいつでも針の穴を通れる（天国に行ける）が、もし貧しさからすべり落ちたら太って針の穴を通れなくなると（というかこれと似たような、教会の教えのとおり）

思い込んでいた。それからもう一つの思い込みは、「豊かな者はわたしたち貧しい者から金を奪い取って(あるいは貧しい者に渡さないようにして)豊かになっている」ということだった。こんな思い込みがあると、豊かな人がぜいたくな自動車を買えば、そのぶんわたしたちは貧しくなって、あるいはぜいたくができなくなって、中古車しか買えない、と考える。この間違った思い込みがあるせいで、わたしは自分が高級車を買うと、そのぶんほかの人を貧しくしてしまうと考えて、落ち着かなかった。

その後、「宇宙には無限の豊かさがある」という考え方に出会った。わたしが受け入れたもう一つのシンプルな考え方だ。この考え方をするようになって、わたしの人生が変わり、わたしという実例に影響された人々の人生も劇的に変化した。新しい考え方はこうだった。

「わたしが次々と高級車を買うと、雇用を生み出し、お金をふんだんに再配分することになる。言い換えれば、わたしが高級車を買うと、その自動車を生み出す何千人もの人たちの雇用が生まれる。そしてドルが再配分される。そのなかには金持ちもいれば、金持ちになりかけている人も、金持ちになるつもりはない人も、金持ちになると針の穴を通れないと思っている人もいるだろう。だがそのすべての人に、なんらかの方法で喜びを増やす選択肢がある。そして一人ひとりが——金持ちでも貧しくても——わたしが高級車を買ったことで、ある程度の利益を得る。高級車のセールスマンも、ディーラーも、テストチームも、販売業者、卸売業者、製造者、株主、（たぶん）組立工、無数のパーツの発明者、ハンドルやハンドルカバー、サウンドシステム関連の技術者、鉄鉱の鉱山労働者、ガラスやプラスチックの製造者、ペンキやタイヤの製造者、配送トラックの運転手、配送トラックの製造者も（このへんでやめておこう。きりがないから）」

わたしが言いたいことはおわかりになったと思う。**すべてはすべての人のために機能している**、という考え方を受け入れたとき、わたしは金銭的な幸せの水門を（ほとんど）いっぱいに開くことができた。そう考えたときから、わたしは何台かの高級車を買った。そしていつも、心を開いて受け取ろうとするすべての人に幸せの可能性を手渡していることを知っていた。

「はじめに」を書いている今、わたしは200万ドルのツアーバスの前方にあるデスクに向かい、エスターは後方のデスクで仕事をしている。わたしはよく思う。この車はわたしたちにある程度の喜びをもたらしたが、それだけでなくこの車の製造に携わり、そこからお金を得た大勢の人たちにも喜びを与えたのだ、と。

このわたしの実例から、たった一つの優れた考え方を受け入れることが長期的にどれほどのパワーをもたらすかを、そして間違った思い込みに気づいて、それを手放すことに、どれほどダイナミックな価値があるかも、どうか感じ取っていただきたい。

この本には、あなたの実生活の体験に移し変えることができるよい考えがたくさん詰まっている。さらに、間違った思い込みも指摘している。もし、あなたの人生がそんな間違った思い込みに支配されているなら、今こそそんな思い込みは捨てて、もっとあなたの役に立つ考え方と入れ替えてほしい。

エスターとわたしは皆さんと、それからエイブラハムといっしょに、この共同創造という冒険に参加できることをとてもうれしく思っている。そして皆さんが、この本の教えに埋め込まれたプロセスと見方を駆使して喜びを受け取ることを楽しみにしている。

愛を込めて　ジェリー

（編者の註：エスターが受け止めた見えない世界の思考は、必ずしも今ある言葉で適切に表現できるとは限らない。そこでエスターは、人生の古い見方に対する新しい見方を伝えるために、言葉の新しい組み合わせを用いたり、既にある言葉を新しいやり方——例えば普通なら使わないところで強調文字を使用するなど——で使っていることにご注意いただきたい）

Part 1

あなたのヴォルテックスと「引き寄せの法則」

楽しい共同創造の引き寄せを学ぼう

喜びにあふれた共同創造者を引き寄せる

人生はもともと気分のいいものだ。

生まれる前のあなたは、個人的、集団的に拡大・成長し、喜びを感じるために物質世界に入ること、そこでの経験でいちばん大きくて価値があるのは相互に経験する人間関係であることを知っていた。そして人間関係の多様性を楽しく味わい、そこから細かなことを選んで自分なりの創造をしようと計画していた。その結果、今あなたはここにいる。

生まれる前のあなたは、時空という現実の最先端に自分の存在を投影しようと決めるにあたって、そのプロセスのあらゆる瞬間を楽しもうと強く決意していた。そのときのあなたは見えない世界の視点で見ており、自分が創造者であることも、物質世界の環境に入っていく自分には楽しくて満ち足りた創造の経験という非常に大きな可能性があることも理解していた。自分は創造者で、地球の経験は満ち足りたたくさんの創造を発進させる完璧な土台であることを理解していた。その結果、今あなたはここにいる。

物質世界の身体に宿る前のあなたは、この世界に入ればほかの人たちに取り巻かれること、その人たちとの関係がコントラストのもととなることを知っていた。それに、そのコントラストのある関係こそが個人的な拡大・成長のベースであり、同時に永遠の拡大・成長に大きな貢献をするためのベースでもあることを理解し、すべての人たちとのかかわりをとても楽しみにしていた。その結果、今あなたはここにいる。

あなたがこの物質世界にやってくるにあたって、つらいこと、苦しいことはいっさい予定になかった。あなたは物質世界で悪を正そうとか、壊れた世界を修復しようとはまったく思っていなかったし、（今の自分には何かが欠けているから、という意味で）向上しようとさえも思っていなかった。そうではなく、この物質世界での経験はバランスがとれたコントラストをあなたに提供してくれる場で、あなたはそこから前よりもこの次、さらにその次とますますいい選択をしつつ　自分自身の拡大・成長と「存在するすべて」の集団的な拡大・成長に寄与するのだと知っていた。このコントラストのある世界があなたを拡大・成長させること、それこそが文字どおり「永遠なるもの」を「永遠」へと送り込むのだ、ということを知っていた。そして、コントラストこそが拡大・成長のベースで、拡大・成長は喜びであることを知っていたから、地球というコントラストのある環境の価値を十分に認識していた。その結果、今あなたはここにいる。

物質世界の身体に宿る前のあなたは、新しい好みや欲求、アイデアはすべてコントラストから生まれることを理解し、変化と多様性の価値をよく知っていた。それに、このコントラストが文字どおり拡大・成長のベースになるだけでなく、楽しい経験のベースでもあることを知っていた。なによりも楽しい経験こそ、「存在」というもののすべてのあらゆる部分のそのまたあらゆる部分の究極の存在理由であることを知っていた。すべてはあなたの意識のなかに常に飛び込んでくる楽しい瞬間のために存在することを知っていた。その結果、今あなたはここにいる。

生まれる前のあなたは、コントラストとはあなたの選択を可能にする多様性であると知っていた。環境は、さあ選んでくださいと用意されたビュッフェテーブルのようなもので、あなたが新たな選択をするたびにビュッフェテーブルは変化するから、環境には変わらないものは何一つないことも知っていた。その結果、今あなたはここにいる。

生まれる前のあなたは、すべての選択はあなたが何かに関心を向けることで行われることを理解していた。物質世界の身体に自分の「意識」の焦点を結んで時空の現実に入り、そこで関心や思考を集中させることによって、周りの世界というコントラスト豊かなビュッフェテーブルから何かを選び出すことを、あなたは知っていた。その結果、今あなたはここにいる。

生まれる前のあなたは、地球環境も――物質的な世界と見えない世界の――すべての環境と同じで「波動」をベースとしており、その波動は「引き寄せの法則」(似たものが引き寄せられる)に従っていることを理解していた。そして何かに関心を向けることは、それに個人的に参加するという意志表明であることも知っていた。その結果、今あなたはここにいる。

生まれる前のあなたが地球という星で物質世界の経験をしようと考えたとき、あらゆる多様性について検討が終わっていて、人生をどう生きるべきかも既に決まっているような、何もかも同じで意見も一致している環境に生まれたいとは思っていなかった。あなたは力強い創造者で、自分で楽しい経験を決定し創造するという目的を持っていたからだ。あなたは「多様性」こそが最善の友人で、あらゆるレベルの「画一性」はその対極であることを知っていた。あなたは文字どおり力強くて大切な自分の個人的視点で自分の方向を見つけて探険を始めよう、そこから自分の創造を切り開こうと意気込んで物質世界に飛び込んだ。その結果、今あなたはここにいる。

多くの人は、この生まれる前の決断が自分の意識のなかに保たれていないことに懸念やいら立ちを――ときには怒りや恨みも――表明する。だがわたしたちは、物質世界の身体に宿ったあなたにはそれよりもっと重要なものがちゃんと残されていると言いたい。つまりあなたは、**生まれる前の人生についての理解から見て道（あるいは思考）が外れてしまったか、それとも順調に歩んでいるかを知るのに役立つ個人的な「ナビゲーションシステム」を持って生まれてきたのだ。**

わたしたちとしては、あなたが見えない世界の安定した知識に沿って、この新しい創造のフロンティアを探険できるように、意識的に自分の「ナビゲーションシステム」を活用してほしいと思っている。

わたしたちとしては、あなたが意識して「本当の自分」と再び結び付き、（物質世界を旅する途中で誤って身につけた）たくさんの間違った思い込みを捨てて、「普遍的な法則に基づいた」考え方を採用できるように、お手伝いをしたいと思っている。

わたしたちとしては、あなたが一見解決不能に見える人間関係の謎を解き明かし、何十億もの人々とどうやって地球を分かち合うかを詳しく理解し、違いの美しさを再発見し、なによりもいちばん大事な関係を、つまり「本当の自分という見えない世界の永遠の源《みなもと》」との関係を再建する手伝いをしたいと思っている。その結果、今ここにわたしたちがいるわけだ。

人生とは関係である

なんらかの関係が「たった今」の経験の大事な部分になっていない、という場合はまずあり得ない。あなたは自分以外の何かとの関係ですべてを見聞きし、気づき、知るからである。比較するという経験がなければ、自分自身のなかのどんな理解にも気づけないし、焦点を結ぶこともできないだろう。だから、ほかとの関係がなければあなたは存在することもできないといってもいい。

わたしたちとしては、この本を読むことで、あなたが既に生きているさまざまな関係の探求が始まり、それによって「本当の自分」についてのもっと偉大な認識が目覚めてほしいと願っている。

わたしたちとしては、あなたが自分の住む地球や自分の身体、家族、友人、敵、政府、制度、食物、財産、ペット、仕事、遊び、目的、「源《ソース》」、魂、過去、未来、そして現在……に対する認識を高めてほしいと願っている。

わたしたちとしては、あらゆる関係は「永遠」で、一度確立されればいつまでもあなたの「波動」の一部であること、（今までのあなたのすべてが、今なろうとしているあなたのすべてに

収斂しようとしている）力強い今という瞬間に、あなたは創造のパワーを持っていることを、思い出してもらいたいと願っている。

あなたがたは望まない、あるいはうれしくない経験を目にすると、自分はその一部ではない、無関係に淡々と遠くから見ているだけだと思いがちだ。だが、そんなことは決してない。**ある状況を――どんなに自分とは無縁だと思っても――見ていることで、あなたはその経験の共同創造者になる。**

長年にわたるほかの人たちとの交流によって、あなたがたの多くは人生をどう生きるべきかについて集団的な好みを作り上げている。何が適切な生き方かについて、合意らしきものはまったくできていないが、それでもあなたがたは無数の経験の対象について自分の好みを人に押し付けようとし続けている。

まず自分を調和させてから、行動を起こそう

現在の地球上にある膨大な数の社会のすべてで、あなたがたはルールや要求、タブー、法律を――またそれらに従うか違反するかで、さまざまな報酬や懲罰も――作っている。どの社会も望ましいものと望ましくないものを断固として区分けしようとしているようだ。

だが、区分けしようといくら一生懸命になっても、うまく区分けできずに混乱が続く。何が望ましくて何が望ましくないか、何が正しくて何が間違っているか、何が善で何が悪か、コンセンサスらしいものすらできないからだ。

わたしたちとしては、あなたがこの1冊の本を読んだ結果、自信を持って方向性とパワーを見いだすのには、グローバルな世界や地域、それどころかパートナーとの間でも意見の一致など必要ないのだと気づくことを願っている。**ほかの人との合意が必要だと思うのは「宇宙の法則」を誤解しているからで、「本当の自分」とはそぐわないのだということを思い出してもらいたいと願っている。**

わたしたちとしては、あなたが自分の「ナビゲーションシステム」を理解し、あなたへ、またあなたを通じて流れているパワーとの調和を回復してほしいと願っている。そのとき初めて（そして、そのときにだけ）、あなたがほかのすべてのレベル、すべてのもの——すべての他人——との間に見いだしたがっている調和も可能になるからだ。

たいていの人は、サスペンションシステムが劣悪で、ハンドル装置が摩滅していて、ほとんど走行不可能という出来の悪い大型トラックに非常に貴重なものを積み込むなんてとんでもない、と思うだろう。あるいは、高価なガラスのアンティークを自転車のカゴに載せて、今日初めて自転車に乗る5歳の息子に運ばせるなんてとんでもない、と思うはずだ。

また、十分に体重に耐えられるかどうか氷の厚さを確かめもせずに、全財産と大切な宝石を入れた袋を持って凍った湖面を渡るなんてとんでもない、と思うだろう。

言い換えれば、旅に出るとき、特に自分にとって重要な旅に出るときには、まず基本的な安定性を確認したほうがいい、ということだ。ところが人は、大切なことで誰かとかかわりを持とうとするとき、真の安定性を確認しようともせず、いきなり会話を始めて決断し行動するから、安定した状態に戻るのにとても時間がかかってしまう。それどころか、いったんバランスを崩すとたいていは次も、そのまた次も、さらにその次も手に負えない経験に踏み込んでよろよろしてしまう。この本に取り上げた事例を通じて、まず安定性と調和を確保する術を思い出してほしい、とわたしたちは願っている。まず調和、それから会話だ。まず調和、それからつきあう。まず調和、それからすべてが始まる。

人はよく「話す前に考えなさい」と言う。賢明な忠告だが、わたしたちはもう一歩踏み込んで「考えなさい。それから、どう感じるかでその思考の価値を評価しなさい。自分が調和していることに疑問の余地がないとわかるまで、その努力を続けなさい。それから話し、行動し、つきあいなさい」と言いたい。

時間をかけて「源《ソース》」との関係を理解した人、「もっと広い視野」との調和を積極的に図っている人、「本当の自分」を意識的に探して調和しようとしている人は、その調和を果たしていない大勢の人たちよりもカリスマ的で、魅力があり、有能で、力強い。

あなたがたが尊敬する歴史上の賢者やヒーラーは、この個人的な調和の価値を理解していた。関係に関するこの本であなたがたに言いたいことは、たった今ここで物質世界の身体に宿っている自分と、あなたがそこからやってきた魂／「源《ソース》」／神との関係ほど重要なものはない、ということだ。この関係をなによりも大切にするとき、そのときにだけ、関係を進めるための安定した足場ができる。このいちばん大事な基本的関係を整えれば、自分の身体との関係、お金との関係、両親や子ども、孫、職場の同僚、政府、世界との関係……すべてはたちまち簡単に調和する。

間違った思い込みで生きていないか？

あなたがこの本を読もうと思ったのは、具体的に誰かとの人間関係で問題があるからかもしれない。求めている答えはきっとこの本のなかにあるはずだ。目次を読めば、あなたが問題を抱えている具体的な関係がどこで取り上げられているか、わかるかもしれない。すぐにそのページをめくって答えを知りたい気持ちはやまやまだろうが――また、そこにはきっと正しい答えがあるだろうが――我慢して初めから順番に読んでいくと、あなたがなんとかしたいと思っている関係について書かれた部分に到達するころには、もっと上手な解決法、理解しやすい解決策が見つかるし、関係の修復ももっと早くできるとお約束しよう。

この本をいっぺんに通して読んでも、数日かけて読んでも、あなたのなかで重要な変化が起こるはずだ。**物質世界の旅の途中で身につけた間違った思い込みが一つひとつ剝《は》がれ落ちて、あなたは自分の核心にある理解に立ち戻ることができる。そうなったとき、あなたは現在および過去の関係をすべて理解するばかりでなく、すべての関係から得た利益もたちまち見通すことができるはずだ。**

なぜ、ほとんどの人が間違った思い込みをしたり不安定な足場に立っていたりしているかといえば、それは例外なく、自分で自分をどう感じるかよりも他人が自分についてどう考えているかを重視するからだ。だから、多くの人たちと長い間つきあっているうちに（その人たちももっといい気分でいたいと思っているから、周りの人を訓練して、とりあえず自分がいい気分になる行動をさせようとする。つまり「あなた自身ではなく、わたしを喜ばせなさい」「自己中心的に行動して自分を満足させるのではなく、わたしを満足させなさい」と命じる）、自分自身のナビゲーションシステムを見失い、ますます「本当の自分」から離れてしまう。すると、ますます暗い気分になるから、次から次へと間違った結論を出して、ついには自分がまったくわからなくなってしまう。

　理屈から言っても、こんな間違った思い込みを明らかにすれば物事がきれいに片づき、幸福な道に戻れるはずだと思うだろう。だが、間違った思い込みの真っただなかに立って、その結果を見つめていると、間違った思い込みの波動にのみ込まれて——せっせと似たようなことを引き寄せて——しまうので、本質的な欠陥を見抜くことができない。自分が「信じていた」とおりの人生が展開していれば、それが間違っているとは感じられないだろう。

　間違った、あるいは欠陥のある思い込みを発見し理解するには、十分な距離をとって離れ、「本当の自分」と再び結び付かなければならない。そうしないと、欠陥は見えない。例えば不親切な(本質と乖離した)人とつきあい、その人にあなたは利口じゃないといつも言われ続けたら、最初は反論するだろう。あなたは利口じゃないと言われてネガティブな気持ちになるのは、それがあなたの「源《ソース》」の真の知識と矛盾するからだ。だが、同じことを何度も何度も言われて自分でもそんな気になり、間違った思い込みを自分で繰り返すようになると、あなた自身が相反する波動を活性化して自分の知性を攪乱し、知性が欠如している証拠を自分で引き寄せ始めるから、間違った思い込みが真実だと事実上証拠だててしまう。そうすると真実だという証拠ができるので、「間違った」思い込みを間違いだと指摘することはますます難しくなる。そして、やがてはあなた自身がそれを真実だと信じるようになる。

だがありがたいことに、自分が何を望まないかがわかれば、同じ割合で何かを望む気持ちがわき起こり、願望のロケットがあなたの「波動の現実」に向かって発射される。言い換えれば、望まない経験から常に大きく改善された経験の可能性が生まれ、やがて（抵抗がやめば即座に）改善が実現する。

わたしたちがこの本を書いたのは、あなたがたが早く、できればこの生涯で改善を実現する手助けをしたいからだが、いずれにしても将来の世代は今のあなたがたの世代が生きているコントラストから劇的に大きな利益を得るだろう。わたしたちとしては、あなたがたが間違った、不正確な、役に立たない信念を見抜いて手放せるように、そして間違った思い込みから自分を解放できるように、手伝いたいと思っている。あなたがたに「本当の自分」を思い出してもらいたいし、新しい光のなかに立ち、その新たな場からあらゆることを引き寄せてもらいたい、と願っている。

ほかの人に自分にとって望ましくない何かを見続けている人たちは、その望まない条件がなくなれば、自分だってそんなものを見はしない、と考えている。

ほかの人に自分にとって望ましくない何かを見続けている人たちは、自分が不快なのは相手が不愉快な条件を差し出しているからだと考え、相手がその不愉快な条件を差し出さなくなれば（見ている）自分はもっといい気分になれる、と思っている。

ほかの人に自分にとって望ましくない何かを見続けている人たちは、望まない状況を作り出している相手の行動を自分が――影響力や説得力、強制、ルール、法律、あるいは懲罰の脅しによって――コントロールできればもっといい気分になれる、と思っている。

ほとんどの人は、条件や相手をコントロールすることがもっといい気分になる鍵だと思っている。だがこの考え方こそ、最大の間違った思い込みだ。あらゆる状況を変えられれば自分はいい気分になれるという考え方は「宇宙の法則」に反するし、あなたがこの世界にいる理由とも矛盾する。**あなたは決して周囲のすべてをコントロールしようというつもりではなかった。自分の思考の方向をコントロールする、それがあなたの意図だった。**

この本を通じて、物質世界のあなたがたの混乱とゆがみの核心にある間違った思い込みを明らかにしていこう。わたしたちとしては、あなたがたがこの本を読んで、「幅広い」知識と矛盾する間違った思い込みを手放し、「人生の幸せ」が流れてくる自然な状態に戻ってくれることを願っている。

距離を置いて、はっきりと見る

わたしたちはあなたがたとの出会いをとても楽しみにしているが、あなたがたが今いる場所で実際に経験しているすべての関係を改善するアドバイスをするにあたって、まず物質世界に生まれてから死ぬまでの一般的な関係をわたしたちといっしょにゆっくりたどってもらうと、とても役に立つのではないかと思う。もちろん、あなたがたはいろいろな意味で一人ひとり違う。だが、この世界のどの場所でいつ生まれる場合でも、だいたいは経験するごく当たり前の関係のパターンというものがあって、これを考えておくことは本当に大切だ。物質世界の人間として経験するこのような関係の展開をひととおり眺めておくと、(今、あなたがたが人類の発展のどの段階にいるにしても)人々が世代から世代へと長い間伝えてきた無数の間違った思い込みに気づく可能性が高い。たった今の経験から距離を置き、わたしたちの説明に従って物質世界の人生経験全体を見れば、人生の目的がはっきりとわかるだろうし、安定した立ち位置が見つかって、これからの人生を楽しく生きる道筋が開けるだろう。

物質世界の身体に宿る前

自分の「意識」の一部を投影して、今、自分として認識している物質世界の身体に焦点を結ぶ前、あなたがたは知的で、明晰で、幸せで、抵抗のない「意識」として、これからの経験を思ってワクワクしていた。生まれる前に経験していた関係はたった一つ、自分の「源《ソース》」との関係だけだった。だがそのときのあなたは「見えない世界の存在」で、なんの抵抗もなかったから、分離というものを識別せず、したがって自分と「源《ソース》」の「関係」も識別していなかった。**あなたが「源《ソース》」だったのだ。**

言い換えれば、あなたは手や脚や指や爪先を自分と別の「存在」だとは見ない。自分の一部だと思っている。だから普通は自分の脚との「関係」を識別しようとはしない。脚も自分だと理解しているからだ。同じように物質世界に生まれる前のあなたは「波動」として「源《ソース》」、つまり人々がよく神とよぶ存在と結び付いていた。そして、あなたと神の結び付きは完全だったから、両者の間にはなんの関係もなかった。あなたがたも神もすべてが「ひとつ」だったからだ。

生まれる瞬間

生まれる瞬間、あなたである「意識」の一部が物質世界の身体に投影されて焦点を結び、最初の関係が始まる。物質世界のあなたと「見えない世界のあなた」との関係だ。ここで物質世界の友人たちの多く——実はほとんど——が抱いている重要な間違った思い込み、あるいは誤解が現れる。

間違った思い込み その1

わたしは物質世界の存在か、それとも「見えない世界」の存在のいずれか、つまり生きているか死んでいるかのどちらかである。

多くの人たちは、物質世界に生まれる前にも自分が存在していたことを理解していない。またほかの多くの人たちは、生まれる前に「見えない世界」にいたとしても、この世界の身体に宿って生まれれば、「見えない世界」の部分は存在しなくなると信じている。言い換えれば、「わたしは物質世界の存在か、見えない世界の存在かのいずれか、つまり生きているか死んでいるかのどちらか」だと思っている。

そこで思い出してほしいのだが、あなたがたはこの「最先端の時間」のなかの「最先端の身体」に宿っているが、「見えない世界」の「もっと年を経た」「もっと賢明な」「もっと大きな」「永遠の」部分は依然として「見えない世界」で焦点を結んでいる。この「見えない世界」の部分、その「あなた」が存在するから、あなたの二つの側面には否定し得ない「永遠」の関係が続いている。

この物質世界のあなたと「見えない世界のあなた」の（波動の）関係が重要だというのには、たくさんの理由がある。

❶あなたが何かを感じるのは（これが「感情というナビゲーションシステム」）、この二つのあなたの波動に関係があるからだ

❷この人生の「最先端」であなたが新しい考えに手を差し伸べて拡大・成長するたびに、「見えない世界のあなた」は安定した知識を増やす

❸この人生の「最先端」であなたが新しい考えに手を差し伸べて拡大・成長するたびに、

「見えない世界のあなた」は物質世界の経験によってあなたが獲得した拡大・成長の成果を受け取る

❹ほかのすべての関係（ほかの人たちや動物、自分の身体、お金、概念や思考、それに人生そのものとの関係）は、あなたと「見えない世界のあなた」のとても重要な関係から非常に大きな影響を受ける

両親との関係

もちろん、物質世界の両親はあなたにとって非常に重要だ。両親が関係を結ばなければ、あなたが物質世界で形をとることはなかった。だが両親との関係についてもたくさんの誤解というか、「間違った思い込み」がある。

あなたは「見えない世界」の見晴らしのいい視点から、物質世界の両親は物質世界の経験につながる大切な道であり、自分が安定した環境に生まれ出て物質世界の足場を獲得することを理解していた。両親や周りの人たちがあなたを迎え入れて、新しい環境を紹介してくれることを知っていた。新しい環境に順応するのに時間がかかることも知っていたから、自分を歓迎してくれる人たちにとても感謝していた。

あなたは足場やすみか、それに物質世界での安定を見いだすうえで、既に物質世界の環境に順応している両親が手助けしてくれることも理解していた。だが、自分の人生の目的を両親に決めてもらおうとは思っていなかったし、正しい、あるいは効率的な物質世界の旅路について指導してもらおうとも思っていなかった。それどころか、生まれる前の「見えない世界」の視点で見て、生まれた時点での自分の「ナビゲーションシステム」のほうが、迎えてくれる大人たちの導きよりも無傷で（したがって効率的で）あることを知っていた。言い換えれば、物質世界の身体として生まれ出たとき、あなたと（見えない世界の「内なる存在」である）「あなた」の関係は緊密で、あなたはまだ「ひとつの純粋でポジティブなエネルギー」に近かった。

だが、物質世界の身体に宿って数日たつうちに、地球という新しい環境について（物質世界の見晴らし地点からの）個人的な見方を積み重ね、それに従って（予想していたとおり）だんだん「意識」の変化を経験し始める。そのプロセスであなたの「エネルギー」あるいは「意識」は二つに分かれる。言い換えれば、母親に抱かれた新生児として、あなたのなかで二つの「波動の見晴らし地点」が活性化される――**こうして、あなたは感情を抱くようになる。**

あなたは「宇宙の幸福」や地球という星、そして「すべてであるもの」について絶対的な知識を持っている環境からやってきたばかりなので、あなたを抱いた母親があなたのことを心配すると、落ち着かない気持ちになる。両親が暮らすことでせいいっぱいになると、あなたは落ち着かない気持ちになる。両親が純粋な愛情をたたえた目でうれしそうにあなたを見つめると、あなたは両親の存在との調和を感じて心地よくなる。だが赤ん坊ではあっても、自分たちの調和であなたを照らすことは親の仕事ではないことを、あなたは覚えている。赤ん坊のときでさえ——話すことも歩くこともできないうちでも——あなたは心地よい天国と調和したエネルギーを提供するのは親の仕事ではないことを覚えている。それは自分の仕事だし、ちゃんとやっていけることをあなたは知っている。そのころのあなたは簡単に「ひとつである自分」という調和に戻ることができる——だからあなたは眠る。始終、眠っている。

この物質世界の環境に生まれ出たあなたは、最初からさまざまなコントラストに取り巻かれること、このコントラストがあなた自身の人生経験を創造する核になることを知っていた。この地球環境にいるだけで、自動的に自分の好みが見つかること、望ましい面も望ましくない面も自分に役立つことを理解していた。なによりも、自分のために選択をするのは（できるのは）自分であること、自分しかいないことを知っていた。だが両親の人生経験のなかにあなたが登場するころには、両親はたいていそんなあなたの真実を忘れてしまっている。それで、もう一つの間違った思い込みが生じる。

間違った思い込み その2

両親はわたしよりずっと前に生まれているから、それにわたしの親だから、わたしにとって何が正しくて何が間違っているかを、わたしよりよく知っている。

あなたは両親の意見を基準にして自分の信念や願望、行動が適切かどうかを判断するつもりはなかった。代わりにあなたは、いつの時点でも自分のなかの「源《ソース》」の意見（あるいは知識）と自分の今の考えとの関係こそが、感情という形の完璧なナビゲーションを与えてくれることを知っていた（生まれてから長い時間が過ぎた今でも、そのことを覚えている）。あなたを導こうとする親たちが自分の「感情というナビゲーションシステム」と調和していたとしても、あなたは自分の「感情というナビゲーションシステム」ではなく両親の意見に従おうとは思っていなかった。自分の「ナビゲーションシステム」の存在に気づいて活用するほうが、誰かに正しいと認めてもらったり肯定されるよりずっと大事だったのだ。

子ども時代を過ごした家から離れて長い時間がたっても、人が不安定な気分を感じ続けるのはたいてい、親に肯定してもらうために自分の「ナビゲーションシステム」を捨てようとしたことに原因がある。自分のなか（つまり自分の「内なる存在」）からやってくる波動に合わせるのではなく、自分以外の誰か（つまり親）の意見に合わせようとすると、自由が踏みにじられたと感じるのだ。もちろん、まずあなたと「見えない世界のあなた」との調和を見つけていれば、親とも現実的で素晴らしい関係を築くことができる。あなたと「見えない世界のあなた」との調和が見つかっていなければ、ほかの関係もうまくはいかない。

兄弟姉妹との関係

あなたが両親の初めての子どもでも、あるいは兄や姉が既にいても、子どもが複数になると親との関係の力学も確実に変化するだろう。どんな関係でもかかわる人が増えれば、個人的な不調和が起こりやすくなる。だが、必ずそうなるわけではない。

家族の力学のほとんどは次のように働く。母親と父親は自分たちのナビゲーションシステムを意識していないので、自分自身に——相手に対しても——安定的な調和のパターンを示せない。自分が前向きの経験をするには、相手であるあなたが行動を変えるべきだと信じていることが多い。そこで親の人生経験のなかにあなたが場所を占めるとまもなく、親は自分が好ましいと思う行動パターンをあなたに身につけさせようとする。だが、それは不可能な試みだ。親は「本当の自分」との調和を実現する代わりに、親の気分がよくなる行動をしろとあなたに求める。これは「条件つきの愛」というものだ。「あなたが行動や条件を変えれば、そしてそれがわたしにわかれば、わたしは気分がよくなるだろう。わたしがどう感じるか、その責任はあなたにある」ということだから。

二人目の子どもが加わると、親が行動をコントロールしようとする対象が増えるだけでなく、あなたをもっと混乱させることが起こる。あなたは親の反応で自分の行動を考えるだけでなく、もう一人の子どもの行動に親がどう反応するかも観察する。新しい人間が一人加わるたびに、ゆがみや混乱の可能性は幾何級数的に増大していく。

いっしょに暮らしている人たちの願望や要求に合わせることで適切な行動をとろうとしても、それは不可能だ。個性や関心、意図、人生の目的はさまざまだから、行動のレベルでそれを仕分けしようとしてもできない。だが、いろいろな関係の一つひとつをきちんと見分けて、自分が満足できるようにする方法はある。まずあなたが「見えない世界の自分」との調和を図ってから、ほかの人とつきあうことだ。また、自分がいい気分になったり心地よい見方をしたいからといって、相手に行動を変えろと要求することは絶対にいけない。そんなことをしても変化する要素が多すぎて、うまくいくはずはない。

わたしたちのヴォルテックスと「引き寄せの法則」

わたしたちとしては、この本を読むことで、物質世界の人生経験が大きな構図のなかにどんなふうに組み込まれているかをあなたにはっきり見通してほしいと思う。「本当の自分」と、なぜこの物質世界の身体に宿ったかを思い出してほしい。なによりも、自分には価値があることをもう一度思い出し、絶対的な幸福を再び獲得してほしいと願っている。さらに、あなたがたがこのコントラストに満ちあふれた時空という現実の「最先端」にいることで果たしている大切な役割を理解してもらいたい。

物質世界の身体に宿る前のあなたがたは「見えない世界」のエネルギーだった。そして「見えない世界の『源《ソース》』の視点」で自分の「意識」の一部を延長し、物質世界の時間、地球、そして物質世界の身体に投影して、焦点を結んだ。物質世界の身体として生まれたあなたがたは五感を通じて新しい環境についての気づきを獲得した——こうしてあなたたという「意識」には二つの側面ができた。「見えない世界の部分」と「物質世界の部分」である。

人によっては「見えない世界の側面」を「魂」とか「源《ソース》」とよぶ。わたしたちとしては「内なる存在」「もっと広い見えない世界の視点」「本当の自分」という呼び方のほうが好きだが、実は呼び方だけでなく、あなたがたに理解してほしいもっと重要な違いがある。**あなたの「見えない世界」の側面と「物質世界の側面」は同時に存在している**、ということだ。ほとんどの人は、この世に生まれる前にも自分という存在のどこかの部分が存在していたと知っているし、物質世界の死のあとには再び「見えない世界」に行くと信じているが、実際にはそれとはまったく違ったことが起こっている。**あなたがたは「ソースエネルギー」の延長で、物質世界に焦点を結んだときに「見えない世界」の側面が存在しなくなったわけではない。それどころか物質世界の側面が存在し経験することによって、「見えない世界」の側面が拡大・成長を始める。**

あなたがたは拡大・成長という目的のために物質世界の素晴らしい身体に宿り、地上のいろいろな人たちのさまざまな意図や信念や願望とかかわりを持とう、とはっきり意図していた。あらゆることについて、自分を取り巻く周りの多様性と触れることが自然に具体的な改善につながることを理解していた。好ましくない経験をすれば、改善された経験を求める気持ちが生まれることを知っていた。その求めや要求、願望が波動として自分から放出されること、自分の「内なる存在」がその新しい要求に気づいて追っていき、そこに焦点を結んで、その対象そのものになることも知っていた。自分が物質世界の環境に触発されて何かを願うたびに、「内なる存在」はたちまちその願望の対象と同一の波動になることを知っていた。

そこで、「拡大・成長した内なる存在」という考え方に関心を向けることができれば（この「拡大・成長した内なる存在」はあなたの人生の集大成であり、成長してきた今のあなた全体を表現する波動を出している）、あなたは自分の「内なる存在」を十分に理解できるし、物質世界の側面がその拡大・成長にどう寄与しているかもわかるはずだ。

あなたがたは物質世界の身体に宿って考え、言葉を発し、行動している。同時にあなたがそこからやってきた「見えない世界」の側面も存在し、その「見えない世界」の側面は物質世界の経験によって拡大・成長する。そのことに気づいてほしいと、わたしたちは願っている。

多くの人たちは物質世界の経験を「現実」とよぶ。あなたがたは物質世界の現実を五感で識別し、この世界のさまざまな場所や人や経験を目にして、それを「現実」だという。あなたがたは物質世界の現実の証を見て、聞いて、味わって、嗅いで、触れているわけだが、それはあなたがたが信じているような血と肉と骨でできた現実を超えたものであることを理解してほしい。**物質世界の環境であなたがたが識別するすべては「波動」であり、あなたがたの人生は「波動の解釈」なのだ。**

あなたがたが経験するあらゆることの根本には強力な「引き寄せの法則」がある。この法則は安定していて決して変化せず、常に正確だ。その「法則」とは、それ自身に似たものが引き寄せられる、ということである。

あなたが何かを考えたとき、その対象のエッセンスを人生経験に引き寄せるプロセスが始まる。何かに関心を向け、自分のなかで思考の波動を活性化させると、連続的な拡大が始まる。言い換えれば、何かに関心を向ければ向けるほど、あなたのなかでその対象の波動がますます活性化される。活性化の時間が長くなればなるほど、引き寄せは強力になり、ついには活性化された波動の否定し得ない証拠が経験のなかに現れる。経験のなかで起こることはすべて、あなたが思考を向けて要求したことに起因する。

「引き寄せの法則」はすべての波動の宇宙的なマネージャーで、その波動は宇宙全体に存在するあらゆるものに及んでいる。だから「引き寄せの法則」は物質世界のあなたの思考の波動内容に反応すると同時に、あなたの「内なる存在」の波動内容にも反応している。

わたしたちとしては、強力な「見えない世界」のあなたの側面とそこに働く「引き寄せの法則」の効果に関心を向けてもらいたいと願っている。物質世界の人生経験をきっかけにあなたが何かを望むたびに、波動による願望のロケットが発射され、それを「内なる存在」が受け取って、あなたの願望の波動はさらに拡大する。この拡大のプロセスをわかりやすくするために、わたしたちは「波動の預託口座」あるいは「波動の現実」とよぶ。それは最も拡大・成長したバージョンのあなたなのだ。

あなたが物質世界の現実のなかで差し出す思考や言葉、行動に「引き寄せの法則」が働くのと同じように、「波動の現実」にも「引き寄せの法則」がいつも力強く働いている。新たに拡大した「内なる存在」の明晰な波動にあらゆる波動の宇宙的なマネージャーである「引き寄せの法則」が作用するとき、その結果として力強く回転する、引き寄せの「ヴォルテックス」が生じる。

これが生成していく「ヴォルテックス」――あなたから出されたすべての要求、そのすべての要求の修正版、そしてあらゆる願いのあらゆる詳細が詰まっているヴォルテックス――で、「引き寄せの法則」はこれに作用する。回転し、回転し、回転し続けるこのヴォルテックスと純粋で抵抗のない集中的な願望に「引き寄せの法則」が作用して、引き寄せのパワーがますます集積されていくさまを想像してほしい。このヴォルテックスは、文字どおりそこにある願望が満たされるのに必要なあらゆるものを引き寄せて吸い込んでいく。創造を完成させるため、疑問に応えるため、問題を解決するために、協力的な要素のすべてが呼び寄せられてくる。

この本の目的は、あなたがたに創造のプロセスを――そしてあなたがたがそこからやってきた純粋でポジティブなエネルギーのベースを――思い出してもらうだけでなく、この

「ヴォルテックス」のパワーを思い出し、「感情というナビゲーションシステム」に気づいてもらって、意識的、意図的に自分の「ヴォルテックス」の波動の周波数を調整できるようにすることである。

この本の目的は以下の点にある。

・あなたが「本当の自分」を思い出す手助けをすること
・あなたが物質世界の経験の目的を思い出す手助けをすること
・物質世界の身体に宿ったあなたが成し遂げていることへの誇りを回復してもらうこと
・あなたがなによりも「波動という存在」であることを思い出す手助けをすること
・あなたの「見えない世界」の側面もたった今、存在していると思い出す手助けをすること
・あなたの「波動」の二つの側面の関係に気づく手助けをすること
・あなたの願望のすべてと既に実現したすべてが存在して回転し続けている「創造のヴォルテックス」に、あなたがいつも意識を向け続けられるよう、手助けをすること

要するに、これはあなたが自分の「ヴォルテックス」に入っていくのを手伝うために書かれた本である。

あなたの人生に現れるすべての人は――友達や恋人から、敵や見ず知らずの人たちまで――あなたの「波動の求め」に応じてやってくる。それだけでなく、その人がどんな個性を示すかも、あなたが求めている。多くの人たちは、人生で出会う人たちの好ましくない性格を考えたとき、それを自分で求めたとはとても思えない。自分は絶対にそんな好ましくない経験を求めていない、と反論する。何かを「求める」とは「欲しいものを求める」という意味だと信じているからだ。だが、わたしたちが「求める」と言うのは、一致する波動を出すということだ。あなたがたの関係や経験の多くは、自分がその気になって引き寄せたものではないことはよくわかっている。だが、あなたがたはそのつもりで引き寄せるのではなく、知らずについ引き寄せてしまうことがとても多い。望むかどうかとは関係なく、何かについて考えればそれが引き寄せられることを理解しなくてはいけない。望まないことについてしょっちゅう考えていれば、つまり求めていれば、それと一致する経験が現れる。それが「引き寄せの法則」の働きだ。

人生のコントラストのほぼすべては人間関係、つまりほかの人との共同創造によって起こる。人生の問題も最大の喜びもそこから生まれる。だがなによりも大事なのは、関係こそがあなたがたの拡大・成長の大半のベースだということだ。だから、どんなときでも人生における人間関係こそが喜びの——あるいは苦痛の——もとであるというのは当たっている。簡単に言えば、誰かがあなたの拡大・成長のきっかけを作らなければ、その拡大・成長が実現していない苦痛を感じることもない。関係から生まれる交流やからみあい、そして共同創造が、あなたの個人的な経験をとてつもなく豊かなものにする。**最大の喜びも最大の悲しみも関係というベースからやってくるのだが、悲しみを感じるか喜びを感じるかについて、あなたは自分で気づいている以上に強い決定権を持っている。**

強力で永遠で普遍的な「引き寄せの法則」

強力な「引き寄せの法則」(似たものを引き寄せる、ということ)が、あなたのあらゆる経験の根っこにある。だから何かについて考えたら、その対象のエッセンスを自分の経験に引き寄せるプロセスが始まる。何かに関心を向けて、自分のなかの思考の波動が活性化すると、波動はどんどん拡大していく。言い換えれば、何かに関心を向ければ向けるほど、あなたのなかでその対象の波動が活発になる。それが続けば引き寄せはますます強力になり、やがてはあなたの経験のなかに活性化された波動の否定できない証拠が現れる。経験のなかで起こることはすべて、あなたが思考を放出して求めるから実現する。

望むことを考えても望まないことを考えても、その考えに似たことをもっと引き寄せたいという「要求」を出すことになる。それを忘れないように。あなたに起こるすべて――人やものや経験や状況のすべて――は、あなたの波動の求めに応じてやってくる。

あなたが結果として引き寄せている関係や状況や出来事は、あなたの波動の要求に正確に対応している。物事の展開に気をつけていれば、自分がどんな波動の要求を出していたかがはっきり理解できる。あなたの身に起こることは、望むと望まざるとにかかわらず、常にあなたが考えていることのエッセンスだからだ。わたしたちはそれを「事後の気づき」とよんでいる。思考の波動方向を意識していなくても、例えば銀行口座の残高が減ってしまったとか、身体の調子がよくない、人間関係が不調になったというように具体的な現実として現れた結果を見れば、自分の波動の方向がわかるはずだ。

あなたがたが生まれつき持っている感情という素晴らしい「ナビゲーションシステム」を意識して活用すれば、望まない状況を引き寄せていることに気づくから、そんな状況が経験のなかにはっきりと姿を現す前に阻止することができる。だが、ほとんどの人たちはなんでも目につくものに無差別に関心を向け、その思考から生まれる感情的な反応は自分ではどうしようもないと思っている。世のなかには嫌なことがあるものだと受け入れ、その嫌なことに関心を集中し、嫌な気分になるだろうと予想する。そして、そのとおりになる。嫌な気分になるのはなぜか、その重要な理由を理解していることはほとんどない。だが、それについて、ここでわかりやすく説明してあげよう。

なんらかの物事や状況に関心を集中して嫌な気分になるとき、嫌な気分になる原因はその物事や状況ではない。その対象について考えたとき、あなたのなかで「波動の分離」が起こるから嫌な気分になる。言い換えれば、「源《ソース》」が関心を向けないことにあなたが関心を向けることを選んだからである。あなたのなかの「源《ソース》」が嫌な気分になるようなことに関心を向けないのには、ちゃんとした理由がある。「源《ソース》」は引き寄せのパワーを理解しているから、望まないことの創造を増幅させたくない。けれどあなたはそれをしてしまい、嫌な気分になる。必ず。

逆に、情熱や幸せや愛や意欲を感じるなら、あなたが選択した思考はあなたの大きな部分が没入しているのと同じものだ。だから、あなたとあなたの「源《ソース》」は分離せず、パワーと明晰さと「よいあり方《ウェル・ビーイング》」がうまく組み合わされた、あるいは協力しあう関係を創造することになる。

「感情というナビゲーションシステム」の理解以上に大切なことはない。自分には重要な波動の視点が二つあることと、それが互いにどう関係しているかがわかれば、意識的に楽しい「意図的創造」を行う鍵を手に入れられる。そこがわかっていないと、荒れる海に浮かぶ小さなコルクのように、波と風に翻弄されてどうしようもなくなる。

どんな瞬間でも、あなたがアクセスできる感情は実は二つしかない。今よりもっといい気分になるか、あるいはもっと嫌な気分になるかのどちらかだ。今どこにいて何を見つめているにしても、そこで可能ないちばんいい気分になるぞと決意すれば、「内なる存在」「源《ソース》」、そして自分の願望のすべてといい関係を結べる。そうすれば、あなたの人生はいつでも楽しいものになる。それがあなたの計画だった。さまざまな多様性のなかを旅しつつ、一つひとつのことについて自分が何を望むのかをはっきりと知り、永遠に成長する自分と調和すること、それがあなたの計画だったのだ。

他人を我慢すべきか、それとも「許容・可能」にすべきか？

ジェリー　しかし人間はみんな違っているから、どう生きるかについて共通の合意ができる可能性なんて、あまりありそうに思えないのですが。

エイブラハム　それはそのとおりだ。それに、そんなことになったら非常に退屈だろうね。

ジェリー　わたしたちはみんな違うし、違うことを望んでいますよね。それなら、人との違いを大目に見るというか、我慢する苦痛を感じないで生きるには、どうすればいいのでしょうか？

エイブラハム　苦痛とかネガティブな感情は、ほかの人と意見が一致しないから起こるのではない。それはいつも、自分と「見えない世界の自分」が一致しないから起こる。自分が望まないことに関心を向けるのをやめて望むことに関心を向ければ、苦痛は消えていく。望むことに関心を向け続けていれば、もう苦痛を感じないだけでなく、興味や意欲、幸福感を感じて、前向きの明るい気持ちになる。

ジェリー　でもわたしたちはみんな、なんらかの形で結び付いていますよね。どうすれば、ほかの人たちの人生に困ったことが起こるのをそのままにしておけるのでしょう？

エイブラハム　すべての理解は生き方を比較することで得られる。「比較する」というのは、自分の「源《ソース》」から発する知識に照らして現状のすべてを判断するということだ。「もっと広い視野」から見ているあなたは、望まないことに関心を向けると望まないことをますます強化してしまうと知っている。だからあなたの「源《ソース》」の部分は、望まないすべてから関心を引き揚げる。物質世界の身体に宿っているあなたが望まないことに関心を向けると、あなたと「見えない世界のあなた」の波動にずれが生じる。嫌な気持ちになるのは、調和が崩れた、消えたという指標なのだ。調和が消えると、心配している相手や怒りを感じている相手に対して、あなたにはなんの価値も力もなくなる。それを考えれば（そのうえ他人の人生や状況をコントロールすることはできないのだから）、相手の困った状況から関心を引き揚げる以外に選択肢はない、ということがわかるだろう。

ジェリー　でも、苦しんでいる人から関心を引き揚げてしまったら、相手は見捨てられたと思うのではありませんか？　困っている人を助ける責任はないのでしょうか？

エイブラハム　ここで、あなたがたの社会の基本的な間違った思い込みを理解しなくてはならないね。

間違った思い込み その3

望まないことに強力に圧力をかければ、望まないことは消えてなくなる。

あなたがたは「引き寄せの法則」をベースにした宇宙に生きている。つまり、宇宙のベースは「加えること」であって排除ではない、ということだ。言い換えれば、「加えること」と引き寄せをベースにした宇宙では、「ノー」ということはあり得ない。望むものを見て「イエス」と言えば、その対象があなたの波動に取り込まれる。あなたが出す波動の一部、つまり引き寄せの作用点の一部になり、つまりは引き寄せが始まる。だが、何かに対して「ノー」と叫んでも、その対象はあなたの波動に取り込まれ、引き寄せの作用点の一部になり、つまりは引き寄せが始まる。

ネガティブな関心を向けても、まったく相手のためにならない。誰かを見て嫌な気分になるなら、その嫌な気分はあなたが望まないことを増強しているしるしだ。ネガティブな気持ちになっても、初めのうちなら不快感だけで済むが、望まないことに関心を向け続けていると、望まないことがあなたの経験のなかにますますはっきりした形で現れるようになる。

目が覚めている間はいつも引き寄せの作用点が働いている。つまり活性化している波動に「引き寄せの法則」が反応し、波動はますます強くなっていく。感情は、あなたが前向きで元気な「源《ソース》」の存在に近いものになっているか、それともその反対になりつつあるかを示す指標だ。あなたはそのままでいることはできない。目覚めていればいつでも、あなたは拡大・成長のプロセスにある。

自分が何を望まないかがわかれば、何を望むかが明確になる。だから、誰かの好ましくない状況に衝撃を受けたあなたは、自動的にこうなればいいと思う改善された状況を「波動の現実」に向かって発射する。そこであなたの仕事、相手にとってのあなたの価値、あなた自身にとってのあなたの価値、それにあなたの本来のあり方とは、相手とのかかわりや観察から生まれた改善された状況という思考にひたすら関心を注ぐことだ。それができればあなたは相手にとってますます価値ある存在になるだけでなく、相手との関係が自分自身の拡大・成長に大きく寄与することがわかるだろう。

「許容・可能にする術」を学ぶ

ジェリー　あなたがたは以前、「許容・可能にする術」について話してくれました。今おっしゃったのも、そのことですか？

エイブラハム　そう。「許容・可能にする術」は、あなたがたがいちばん理解したがっているものの一つだ。これを意識的に活用できれば、既に「そうなっている」自分を現実化することを「許容・可能」にできる。そして「見えない世界の自分」になることを「許容・可能」にしないでいるほど、嫌な気分になることはない。言い換えれば、コントラストのある経験はすべて「本当の自分」の拡大・成長につながる。より大きな「見えない世界の部分」はいつも拡大・成長の最先端に向かって動いているからだ。だが、拡大・成長の原因になった出来事や状況、理由を振り返ってばかりいたら、拡大・成長とはまったく逆になってしまう。拡大・成長を「許容・可能」にできない。だから嫌な気分になる。

「許容・可能にする術」とは要するに思考を意図的に選択し、自分自身の拡大・成長と歩調を合わせて、本当の自分自身になることだ。拡大・成長は進行しているのだから——時空の現実に存在するコントラストがそうさせずにはおかないから——幸せになろうと思えば、その拡大・成長と歩調を合わせるしかない。

あなたの「より大きな見えない世界の部分」、永遠にあなたと関係がある部分とは、愛する者だ。だから愛していないとき、あなたは「許容・可能」にしていない。

あなたの「より大きな見えない世界の部分」は、あなたに価値があると知っている。だから自分には価値がないと感じているとき、あなたは「許容・可能」にしていない。

ここで、もう一つ、あなたがたの社会の基本的な間違った思い込みを理解しよう。

間違った思い込み その4

わたしは正しい生き方をし、ほかの人にも影響を与えて正しい生き方をさせるために、ここにやってきた。わたしが正しいと感じることは、ほかのすべての人にとっても正しい生き方である。

あなたがたは、存在するすべての考え方をかたっぱしから調べ上げ、誰もが同意するひと握りのいい考え方だけを残そうとして、この物質世界の経験をしにきたわけではない。それどころか、実はその正反対だ。あなたがたは「コントラストに満ちた海に入ろう。そこから、もっとたくさんの考え方が生まれるだろう」と言ったのだ。あなたがたは喜びに満ちた拡大・成長が多様性から生まれることを理解していた。

誰でもいい気分でいたいが、ほかの人たちがすることを見ているといい気分になれないことが多い。だから、人に影響を及ぼして行動をコントロールすればいい気分になれる、と思うのも無理はない。だが、人を（影響力や強制力を使って）コントロールしようとしても、人を押さえ込むことはできないばかりか、そういう相手に関心を向けているとますます似たような人たちが現れることに気づくはずだ。今のあなたがたの社会は、違法なドラッグとの闘い、貧困との闘い、犯罪との闘い、10代の妊娠との闘い、ガンとの闘い、エイズとの闘い、テロとの闘いなどを繰り広げている。だが、そのすべてがますます増えている。要するに望まないことをコントロールしたり撲滅したりして望むところに行き着こうとしても、できるわけがないのだ。

だいたい、あなたがたの誰が「正しい」生き方を決めるのか？　数が最大の集団が正しい生き方を「知って」いるのか、それともほかの集団を殺す能力がいちばん高い集団が「正しい」のか？　貧しい人々が答えを持っているのか？　豊かな人々が鍵を握っているのか？　どの宗教が「正しい」宗教なのか？　どの生き方が「正しい」生き方なのか？　子どもをつくるのは正しいことか？　子どもの正しい数は何人なのか？　子どもを産んだ女性が子ども以外のことを考えてもかまわないのか？　キャリアウーマンになってもいいのか、それとも子どものことだけを考えているべきなのか？　男性は妻をどう扱うべきか？　何人の妻を持つべきなのか？

「わたしの集団／生き方が唯一正しいのだから、ほかはすべてやめさせるべきだ。賛成できない生き方を見ると、わたしが嫌な気分になるからだ」という間違った思い込みが、地上の不幸の大半のベースにある。圧力をかけられる人たちが苦痛を感じるだけでなく、圧力をかけるほうも苦痛を感じる。それどころか、最も不幸で最も満たされない人とは、他人に圧力をかけている人たちだ。なぜなら、圧力をかけることで、いちばん大切な関係を「許容・可能」にできなくなる。つまり、自分と「見えない世界の自分」との関係が壊れるからだ。

あなたがたは自分のなかに新しい願望を生まれさせ、その願望を実現しようと考えていたが、どんな方法にせよ他人の願望を妨げようとはまったく思っていなかった。この世界には誰もが自分の願望を創造するのに十分な広さがあることを、あなたがたは知っていた。だから、他人の創造を見ても（それが気に入らなくても）、自分の創造が妨げられると心配したりはしなかった。自分には望むことに関心を集中するパワーがあると知っていたからだ。そのため、自分が望まないことを世界から取り除く必要はなかった。あなたがたは自分が何を望むかを決めて関心を集中するパワーと「引き寄せの法則」によって望むものを引き寄せ、同じことをほかの人たちがするのも「許容・可能」にしようと思っていた。多様性はあなたがたの力と拡大・成長のベースであるだけでなく、あなたがたの存在そのものの基盤であることを理解していた。なぜなら拡大・成長がなければ、あなたがたは存在し続けることも不可能だから。

人をコントロールするのではなく、影響力を与えることはできるか？

ジェリー　人間関係における「影響力」、あるいは「コントロール」ということについて、もっとお話ししたいのですが。実際には、わたしたちは他人に対してどれくらいのパワーを持っているのでしょう？　それに、違うことを望むべきだと他人に言われ、自分が望むことから遠ざかってしまうのを避けるには、どうすればいいのでしょうか？

エイブラハム　「コントロール」と「影響力」を分けて考えるのはいいことだ。だが、もっと詳しく説明しよう。誰かが他人を、あるいは状況をコントロールしたいと思っても、そんなことは絶対にできない。コントロールしようというからには自分が望まないことを知っているわけだが、そうすると実際の願望とは反対方向に波動と引き寄せの作用点が働く。これが大きな要素になる。**誰かと力を合わせて望まないことに抵抗しようという場合でも、そして協力すれば相手を圧倒できるように見えても、実際には相手をコントロールすることはできない。それどころか、望まないことをますます引き寄せてしまう。顔や場所は変わっても、望まないことがさらに多く押し寄せてきて、コントロールし続けることは不可能だと気づくだろう。**

さらに、**状況をコントロールしたがることと影響を与えて現状を変えたいと思うことの間には、どの程度まで実現したいのかということのほかにも、ちょっとした違いがある。**言い換えると、「影響力」を与えたいときには言葉で説得するだろうが——ときには行動を起こすぞという脅し文句も使うかもしれないが——「コントロール」しようという場合にはもっと強い言葉を使ったり、実際に行動を起こして相手の態度を変えさせようとするだろう。

だが、「影響力」と「コントロール」の違いよりももっと重要な違いをここで指摘しておきたい。それは、自分が何を望まないかという場から望むところに行こうとするのと、何を望むかという場から望むところに行こうとすることの違いだ。前者は相手を「動機づけて」行動を変えようとする。後者の場合には、相手に「インスピレーション」を与えることになり、相手が自然にその気になって行動を変えるだろう。

相手を動かそうとするときには、自分が望まないことに焦点を置いているから、真のパワーの助けを得られないいし、その力を活用できない。だが、望むことに完全に焦点を置いていると――自分の願望に対する抵抗や対立をすべて手放していると――世界を創造しているエネルギーが動員されるから、影響力はとても強力になる。真のパワーと結び付いてその力を「許容・可能」にすることで、あなたの影響力が大きくなれば、相手も自分自身のパワーを引き出すはずだ。

どうすれば家族は調和するか？

ジェリー 親子関係のことなんですが、自立した考え方をする子どもが「最先端に」いて、学んで成長しているのに、親は停滞した思考や行動をしていて、自分と同じになるように子どもをしつけたがっているとき、そんな親と仲よく暮らすには、どうすればいいんでしょうか？ 言い換えれば、親が変化や新しい考え方を望まないときには、子どもはどうすればいいですか？

エイブラハム　それには、もう一つの間違った思い込みを説明しなければならないね。

間違った思い込み その5

わたしのほうが年上だから、わたしのほうが賢い。だから、あなたはわたしの指導に従うべきだ。

親やあなたより先に地球に来ていた人たちは、生まれてくるあなたに安定した基盤を提供するために手を貸してくれるが、あなたが求めるような智恵は持っていない。あなたの拡大・成長は個人的な経験から生まれるし、知識は「より広い視野」との結び付きからやってくる。世代から世代へと伝えられるほとんどの指針やルール、法律は、「より広い知識との結び付き」を「許容・可能にする状態にない」人たちによって作られたものだ。言い換えれば、あなたがたに押し付けられる指針の大半は、欠落という視点で作られているから、よりよい状況へと導くことはできない。

もちろん、互いに学ぶことのできる物理的な事柄もある。あなたがたが生まれる前からあるたくさんの発明や技術は、一から苦労して発見しなおさなくても利用できる。だが、あなたがたの地球には、「本当のあなたがた」ともあなたがたの存在理由ともまったく違う信念が蔓延している。それが次の間違った思い込みにつながっている。

間違った思い込み その6

物質世界の身体として生まれた日に、わたしという存在は始まる。価値のない存在として生まれてきたわたしは、もっと大きな価値がある者になれるように、人生で苦労してがんばらなくてはならない。

あなたがたという存在は、物質世界の身体として生まれた日に始まったわけではない。あなたがたは「永遠の意識」であり、生成していく者、価値がある存在としての「永遠の歴史」を持っている。その価値ある「見えない世界」の「永遠」の「神の力」「創造的な意識」の一部が今、あなたが知っているあなたという存在になったのだが、「見えない世界のあなた」という大きな部分は依然として「見えない世界」にいて、絶対的な価値のある「純粋で、ポジティブなエネルギー」

として焦点を結んでいる。
あなたがたは熱意を持ってこの物質世界という時空の現実に入ってきた。ここが創造の「最先端」であり、あなたは創造者だからだ。あなたはこの時空に焦点を結ぼうという考え方がとても気に入った。焦点を結び創造することにコントラストが果たす役割を理解していたからだ。あなたは、生きていれば次々と新しい考え方が生まれること、関心を集中する力によって、その考えが物質世界のいわゆる「現実」になることを理解していた。対象を選択して関心を集中し、創造的な表現を「許容・可能」にする楽しさも知っていた。どんな瞬間でも、その時々の思考の波動が自分のなかの「源《ソース》」の理解とどこまで「調和しているか」を感じ取れることもわかっていた。前向きな明るい気持ちになるかネガティブな気持ちになるか、それだけが、創造し発見して生成していくという永遠の道筋に沿って自分が拡大・成長するのに役立つ指針であることも理解していた。

子ども時代に誰かに否定されたときの気持ちを思い出してみるといい。そのときのネガティブな気持ちは、あなたを否定した人の意見が「本当のあなた」ともあなたが本当に知っていることとも調和していないことを示していた。その瞬間、あなたは相手が歪んだ評価によって自分を「本当の自分のより広い視点」から引き離そうとしていると感じた。あなたのナビゲーションシステム（ネガティブな感情）が、相手があなたに結ばせようとしている焦点は「源《ソース》」の焦点と調和していないと教えていたのだ。

自分自身を自分のなかの「源《ソース》」と違った見方で見ると、決していい気分になれない。ほかのなんでも同じだが、時間がたつにつれて、あなたは徐々に力を奪われていく不快感に慣れてしまう。ついには自分のナビゲーションシステムをほったらかしにして、他人に指針を求めるようになる。

そこで、子どもはどうすれば自分と同じ考え方をさせたがる親と仲よく暮らせるか、というあなたの質問に戻ろう。わたしたちの最大の目的は、子どもが「本当の自分」を思い出す助けをすることだ。自分自身の「ナビゲーションシステム」を思い出してもらいたい。自分自身のパワーと再び結び付き、自分自身の夢に気づいてほしい。そう簡単にはいかない、と言う人も多いだろう。「子どもがそういうことを全部思い出したとしても、周りの大人は思い出していないから、子どもに賛成してくれない。そして大人は子どもよりも大きくて、子どもの生活を支配しているから、子どもはやっぱりそんな人たちとの関係という罠から逃れられない。そんな状況で、子どもはどうやって調和を見いだせばいいのか？」

わたしたちはまずそういう状況にある子どもに向けて回答し、それから親に、最後に質問者に答えることにしよう。

子どもに答える

親はあなたのためによかれと思っている。自分が経験してきた人生という闘いの場に出ていくあなたに、準備をさせようと思っているだけなのだ。だが、そういう親のやり方を見れば、「本当のあなた（子ども）」だけでなく「本当の自分」も思い出していないことがわかる。だから親は防衛的になる。自分が弱いと感じ、あなたも弱いと思い込んでいる。

親たちに思い出させようと思えば、相当に説明しなくてはならないだろう。それに、親が自分から進んで知りたいと思わなければ、何を言っても耳を貸そうとはしないだろう。たぶん親たちが知りたいと思うようになる前に、あるいはわたしたちの言葉に耳を傾けて思い出すより前に、あなたは成長して家を出ているのではないか。

歳がいくつであっても、あなたが聞きたいと思って耳を傾けるなら、なによりも大切なことを教えてあげよう。あなたについて誰が何と思おうが、どうでもいい。あなたがどう考えるか、それだけが重要なのだ。そして人には――何についても、たとえあなたについてでも――考えたいように考えさせておこうと決めれば、あなたは「本当の自分」にしっかりと錨《いかり》を下ろした考え方を維持できる。そうすれば、やがてはどんなことがあってもいい気分でいられるようになる。

今の言葉を聞いて、自分はコントラストに満ちた経験をして何を望むかを決めようとしている力強い創造者だという真実を思い出せば、その真実を思い出していない人たちにも辛抱強くなれるだろう。すべてはあなたとあなたの感じ方に対応していることを思い出せば、それに自分の感じ方を自分でコントロールするようになれば、実にさまざまな場所で自分の経験を創造するのに役立つとても大きな助けを得られるだろう。

一人でいるときに親とのトラブルについて考えているようなら、あなたはもっとたくさんのトラブルを引き寄せてしまう。だが、一人でいるときにもっと楽しいことを考えていれば、トラブルは増えないだろう。ほかの人のあなたに対する態度について、あなたは自分で気づいているよりも大きな力を持っている。トラブルのことを考えなければ、トラブルは減っていく。自分を支配しようとする親のことを考えずにいれば、親はあまりあなたを支配しようとしなくなるだろう。楽しいことを考えれば考えるほど楽しくなるはずだ。いい気分になればなるほど、もっといいことが起こる。

親があなたにどういう態度をとるかは親の責任だ、と思うかもしれない。だが、そうではない。親があなたにどういう態度をとるかは、あなたが決めている。その証拠に、わたしたちの言葉を聞いて実行すれば、親の態度は変わるだろう。なにより素晴らしいことに、「要求」するのではなく、親に「インスピレーション」を与えて自然に前向きな気持ちにさせることで調和を楽しむことができると、親は気づかないかもしれないが、親に示せるはずだ。

親たちに答える

子どもの気に入らないところに目を向ければ向けるほど、ますます気に入らないことが見えるだろう。子どもからどんな態度を引き出すかは、子ども自身よりもあなたのほうに原因がある。これは人間関係のすべてにあてはまるが、あなたは誰よりも子どものことを考えているだろうから、子どもについてのあなたの考え方は子どもにとても大きな影響を与える。

子どもに気に入らない振る舞いがあっても気にせずに無視していれば――頭のなかで繰り返し思い出したり、人に話したり、心配し続けたりしなければ――望ましくない態度を助長することはなくなる。

誰にしてもなんにしても、関心を向けるときには二つのやり方がある。望むことに関心を向けるか、望まないことに関心を向けるかだ。子どもを見るときにも望むことに関心を向けるように心がければ、ますます好ましい行動パターンが目に入ってくるだろう。子どもはいい気分でいたい、価値ある存在でいたいと願っている強力な創造者だ。いちいち採点しては「もっと違うことをしなさい」と命令するのをやめれば、子どもは本来のよさを発揮するだろう。

あなたが「不安」や「心配」や「怒り」や「いら立ち」という状態にいれば、子どもから「望ましくない態度」を引き出すことになる。

愛と評価と熱意と楽しさの状態にあれば、子どもから「望ましい態度」を引き出せる。

子どもはあなたを喜ばせるために生まれてきたのではない。

あなたはあなたの親を喜ばせるために生まれてきたのではない。

質問者に答える

わかっていない親のもとで子どもが自由を失うとか、逆にわかっていない親が自由を失うとか、そんなことは心配しなくてもいい。誰でも新たな願望に気づくために共同創造という経験をしたいと願っていることを理解しなさい。人は皆、自分が何を望むかを次々に明らかにするために、第一歩の「求める」という経験をしているのだと思いなさい。
親に支配されていると感じる子どもには次のような願望が生まれる。

・もっと自由が欲しい
・もっと評価されたい
・ほかの人をもっと評価したい
・独立したい
・拡大・成長するチャンスが欲しい
・優れた者になるチャンスが欲しい

子どもを支配しようとしている親には次のような願望が生まれる。

・もっと自由が欲しい
・もっと協力してもらいたい
・子どもにいい人生を送らせたい
・いつか世の中に出ていく子どもに準備を整えさせたい

・理解されたい

言い換えれば、この対照的な共同創造の経験は、関係者のそれぞれに新しい願望のロケットを発射させ、新しい場所へと波動を広げさせる。ネガティブな感情になるたった一つの原因は、その瞬間に当人がまだ拡大・成長を「許容・可能」にしていないことだ。人生は、今あなたが「許容・可能」にしていない自分自身になりなさいと促している。そして親も子どもも、「許容・可能」にしない口実に相手を利用している。生まれる前、あなたは拡大・成長を可能にするコントラストのある関係について楽しく考えていた。その拡大・成長に歩調を合わせるとき、あなたは、拡大・成長を可能にしてくれた一見争いと見えるものをうれしく思うだろう。

「引き寄せの法則」で家事が片づくか？

ジェリー　家族が家庭生活の責任を分かち合って、いろいろなことをスムーズにこなし、それでも一人ひとりが自由な気持ちを持ち続けて仲よく暮らすにはどうすればいいか、もう少し詳しく話してもらえますか。

エイブラハム　あなたが言う「責任」とは、たいていは「行動」のことだろう。家庭という環境を作り、管理し、維持していくうえで、分かち合うべき行動の責任がたくさんあることはわたしたちも理解している。それに具体的な数の仕事があり、その仕事を分かち合うべき人の数も決まっているなら、仕事を組織的に分担するのが当然だとたいていの人が考えるのも無理はないと思う。だが、そういう状況が普通はうまくいかないのは、家事を振り分ける人がバランスのとれた状態におらず、バランスを失ったままで家事を分担させようとするからだ。そしてバランスを失うのはやるべき家事が多いせいではなく、自分が余分に働かされているという恨みや、するべきことが片づかないといういら立ちのせいなのだ。**家庭を持って維持していく場合でも、まず最初にするべきことはやはり個人的な調和を見いだすことだ。そこで、もう一つの間違った思い込みを説明しなくてはならない。**

間違った思い込み　その7

一生懸命努力してがんばれば、なんでも成し遂げられる。

望ましいと思う結果と波動が合っていなければ、どんなにがんばって行動しても、そのアンバランスを補うことはできない。自分が本当に望むことと波動を調和させず、がむしゃらに問題と取り組んで片づけようとしても、「引き寄せの法則」は片づけるべき問題を次々と運んでくるだろう。決して、その先回りをすることはできない。問題に関心を集中していれば、「引き寄せの法則」によって片づけるより早く問題が増えていく。うちのなかが片づかないことに関心を集中していれば、「引き寄せの法則」によって、片づけるより早く散らかり、混乱し、問題が増えるだろう。

簡単に言えば、波動に働く「引き寄せの法則」のほうが行動で問題を解決する能力より常に強力なのだ。人生でも家庭でも——人間関係でも——きちんと整える唯一の方法は、エネルギーの調和という強力な「てこ」を利かせることだ。そうすれば、それまでは苦闘の連続だったことがいとも簡単になるだろう。

あれもこれも片づかないとか、家族がみんな協力的でないと気にするのをやめないと、家族から気持ちのいい協力を引き出すことはできない。闘いを手放して、自分が望む結果にだけ関心を集中しなさい。きちんと片づいた気持ちのいい協力的な家庭を「感じる場所」を見つけなければ、そういう家庭を実現しようという気持ちを家族に起こさせることはできない。あなたが人生で出会う人は常に、あなたが予想するとおりのことを投げ返してくる。例外はない。

自分がネガティブな気持ちになるのはネガティブな行動が目につくからで、その逆ではない、と多くの人たちが言う。「ゴミを出してちょうだいと言っても息子が従わないだろうと予想するのは、何度言っても聞いてくれないからです」。誰かがネガティブな行動をするから、自分がネガティブな気持ちになるのだと思っていたら、際限のない堂々巡りが続くだけだ。だが、自分の感情をコントロールし、もっと気分のいい考え方をするようになれば、どれほどネガティブな流れが始まっても方向を変えることができる。他人が自分の波動を(つまり創造を)どうするかは、あなたにはコントロールできない。だが自分の思考、波動、感情、そして引き寄せの作用点なら完全にコントロールできる。

関心が一致しなくなったらどうするか？

ジェリー　以前は仲がよかったのに、お互いの関心が変化して、それでしょっちゅう意見がぶつかるようになったとします。考え方や願望が対立するようになっても、仲よくするにはどうすればいいんでしょうか？

エイブラハム　それに答えるには、もう一つの間違った思い込みを説明しなくてはならないね。

間違った思い込み　その8

人と仲よくするには、同じことを考え、同じことを望んでいなくてはならない。

人はたいてい望まない多くのことにひどく抵抗するので、自分と同じ考え方をする人——望まないことや抵抗することが同じ人——を見つけて力を合わせると、それが調和だと思う。そういう考え方がなぜ問題かといえば、望まないことに関心を集中しているので、自分自身の願望とも自分自身の大きな部分（その部分は常に願望と調和している）とも調和しないからだ。いっしょに敵に抵抗しているとき、その基本的な状態は調和とはまったく違う。同じ考え方に抵抗している、あるいは同じ敵と対立している人と意見が一致しても、それはとても調和といえるものではない。

まず自分と「見えない世界の自分」との調和を見つけること。そのあとに初めてほかの調和が可能になる。自分と「見えない世界の自分（それはいつも「許容・可能」にする状態にある）」との調和が実現していれば、意見が違う相手とでも調和できる。それどころか、「源《ソース》」との調和は別として、考え方や願望がさまざまであることこそ拡大・成長と喜びに最適な環境なのだ。

人間関係はたいてい最初のほうがうまくいく。どちらも見たいものを見ようとしているからだ。だから人間関係は初めのほうがいい経験になる。それに前向きな見方は自分自身の調和を見いだす、あるいは「本当の自分」と調和するための強力なツールでもある。人間関係の初めには両当事者とも、気分が素晴らしくいいのは相手との調和を見いだせたからだ、と思うだろう。だが実際には、あなたは相手をいいきっかけとして「本当の自分」との調和を見いだしたのだ。

あなたがたの「源《ソース》」はパートナーの前向きの部分しか見ない。だから前向きの部分を見ているとき、あなたは「本当の自分」と調和していることになる。

関係をおしまいにしようとして拒否されたら？

ジェリー　だが、自分の願望が本当に配偶者の願望と違ってしまったら、どうしますか？一人は関係を終わりにしたいと思い、もう一人は続けたいと思っていたら？

エイブラハム　それが「願望の違い」に見えることはわかるが、実は二人の心にある願望には強力な共通点があるのだよ。それは、もっといい気分になりたいという願望だ。一人は別れることがもっといい気分になる道だと信じているし、もう一人はいっしょにいることがいい気分になる道だと信じている。

そこで、この問題の混乱の原因に大きな役割を果たしているもう一つの間違った思い込みを指摘しておこう。

間違った思い込み　その9

喜びに達する道は行動だ。嫌な気分のときには、行動することでいい気分になれる。嫌な気分の原因だと思われる状況に関心を集中し、そこから立ち去るのだ。そこから立ち去りさえすれば、いい気分になるだろう。望まないことから離れれば、望むところに到達できる。

以前、人間関係で前向きな明るい気分になったことがあると思うが、それはお互いの間に調和が発見できたからではなく（その調和はもう消えたように見えるわけだが）、自分が「本当の自分」と調和していたからだ。望まないことに関心を集中しなければ自分自身との調和

も見いだしやすい、というのは本当だ。だからあなたを喜ばせてくれる身近な人は、前向きな関心の対象となって、あなたの調和の乱れを防いでくれる。だが、相手があなたを幸福に「している」という考え方は間違っている。幸福であるのが、あなたの自然な状態なのだ。あなたは現在自分を喜ばせてくれる人を活用して、「本当の自分」から関心がそれないようにしているというほうが正しい。一方、不幸なときには、不愉快な相手を理由にして「本当の自分」から関心をそらしているのかもしれない。

自分がどんなふうに感じるかは自分の責任だと気づいたとき、本当の幸福が訪れる。自分の感じ方について他人に責任があると信じている間は、あなたはがんじがらめで身動きがとれない。他人の行動や感じ方をコントロールすることはできないからだ。

いい気分になれないことから離れたいと思うのは当たり前だが、「加えること」をベースにした宇宙では、それは不可能だ。望まないことに関心を集中し——したがって、自分のなかで望まない波動を活性化させ——そこから離れようとしても、それはできない。「引き寄せの法則」のパワーのほうが、あなたのどんな行動よりも強力だから。

あなたが好ましくない状況から離れても、「引き寄せの法則」によって似たような気分になる状況が、それもたいていはすぐに現れるだろう。要するに、それはできない相談なのだ。あなたが行きたいところに——もっといい気分になれる場所に——行くには、自分と「見えない世界の自分」との調和を実現しなくてはならない。

30分でエネルギーを調和させよう

エネルギーを調和させて一日のスタートを切るには、前夜、寝るときから準備するといい。

自分の周りにうれしい、楽しいと思うもの——ベッドやシーツ、枕など——を見つける。それから、さあよく眠ってフレッシュな気持ちで目覚めるぞ、と考える。朝目覚めたら、少なくとも5分はそのまま横になって、うれしい、ありがたいという気持ちに浸り、それからさわやかな気持ちでシャワーを浴び、食事しよう。次に15分くらい落ち着いて座って心を鎮める。何かに対して抵抗があったら、それを手放し、波動の高まりを感じよう。そのあと目を開き、5分から10分くらいかけて、人生でうれしいな、ありがたいなと思うことのリストを作る。

このようにエネルギーを調和させると、引き寄せの作用点が活性化していい気分になる活動や人や場所、物事との出会いを引き寄せてくれるだけでなく、それぞれを深く味わって経験する能力も飛躍的に高まる。いい気分になろうとして何かをしたりどこかに出かけるのではなく、まず意識していい気分になり、それから引き寄せられてくる物事や人や場所を迎えるのだ。「本当の自分」と調和すれば、違った人間関係を引き寄せるかもしれない。だが既に結んでいる人間関係でも、最初は調和の作用点で引き寄せていて、今再びその調和を実現したとすれば、自分にとってフレッシュなものになる可能性がある。

ほぼ調和した場で今の人間関係を結んでいたなら、素晴らしい気分になる場所に戻れる可能性はとても高い。だが、何か嫌なことから逃れるために今の人間関係を結んだなら、望むことより望まないことに人間関係のベースがあるかもしれない。

どちらにしても行動する前にまずいい気分になること、それが常に最善のプロセスだ。それにいい気分でなければ、問題を解決する行動も思いつかないだろう。

わたしにぴったりの完璧な人がいるか？

ジェリー　「自分にぴったりの完璧な人」というのはいるものでしょうか？　いるとすれば、そんな人を見つけるにはどうすればいいのか、教えてもらえますか？　それから、いわゆる「ソウルメイト」について、どうお考えですか？　言い換えれば、わたしたちにはスピリチュアルな理想の配偶者がいるのか、ということですが。

エイブラハム　あなたがたは人生を通じ、またいろいろな人との交流を通じて、自分にとって最も好ましいと思う相手の性格をだんだん明らかにしていく。そしてその望ましい性格について、願望のロケットを次々に発射し続ける。言い換えれば、自分の「波動の現実」のなかで少しずつ自分なりの完璧な配偶者を創造していくわけだ。だが、完璧な配偶者を見つける前に、自分の波動がその願望に、つまり自分の望むものにいつも一致していなくてはならない。

配偶者が見つからなくて孤独や欲求不満を感じていたら、「波動の現実」と一致していないから、出会いは遅れる。素晴らしい人間関係を実現している人を羨《うらや》んでいたら、「波動の現実」と一致していないから、出会いは遅れる。過去の嫌な関係を思い出して、それを理由にもっといい人が欲しい、必要だと思っていたら、波動は自分の望まないことと一致しているから、望みの実現は遅れる。だが、たとえ望む人間関係は実現していなくてもいつもいい気分でいられるようになれば、出会いは確実だ。それどころか、出会うことが「法則」なのだ。

パートナーが「完璧」だというのは、あなたが人生に触発されて求めているものとパートナーが一致しているということだ。だが、そのパートナーを見つけられるかどうかは、あなたがその願望と一致しているかどうかに左右される。配偶者がいないことに関心を集中していたら、完璧な配偶者を見つけることはできない。「パートナーがいない」という波動を出さずに済む方法を見つけなくてはいけないのだ。

今の物質世界の経験を通じて新しい願望を発射し続けているのと同じように、あなたは生まれる前の見えない世界の見晴らし地点から、物質世界の経験についての願望を放出していた。その願望あるいは意図には創造的な資質や才能、やりたいこと、共同創造したい相手などの具体的な事柄が含まれている場合もあった。「ソウルメイト」とはそういう相手のことだろう。だが、多くの人が気にする「ソウルメイト」という考え方を、わたしたちはあまり重視しない。**あなたが地球という星を分かち合っている人はすべて一種のソウルメイトだからだ。**人が求めている「結ばれているという感じ」や好きな人といっしょにいるときの高揚感は、実はいっしょにいる相手のせいではなく、自分が「見えない世界の自分」と結び付いているためなのだ。「ソウルメイト」とは自分自身の「魂」あるいは「源《ソース》」「内なる存在」「自己」といっしょになること、あるいは意識的に結び付くことだ、とわたしたちは考える。物質世界の時空にいるあなたがたが「内なる存在」と同じ波動を出していれば、それは「ソウルメイト」を見つけたということだ。いつもそうしていれば、あなたは引き寄せられてくる人たちに大きな満足を感じるだろう。

人間関係に何を求めるのか、なぜそれが欲しいのかを考えなさい。いい人間関係を経験

している人たちを見て、その人たちを高く評価しなさい。いっしょに過ごす人たちのいい面のリストを作りなさい。実際、素晴らしい人間関係を作るいちばん手っ取り早い方法の一つは、いつもいい気分になれる何かを見つけ、それが人間関係に何も関係がなくてもそこに関心を集中することなのだ。

あなたは既に波動として完璧な人間関係を創造しており、「波動の現実」のなかではすべて準備が整ってあなたを待っている。そのことと、あなたが今すべきなのは抵抗の波動を出さないことだ、そうすれば完璧な相手は必ずあなたのもとへやってくる、ということを思い出せば、完璧な人間関係はすぐにも実現する。完璧な配偶者と出会えない最大の原因は、完璧な配偶者がまだ見つからないという意識と不快感なのだから。自分の仕事は終わっていること、願望は明らかにしていること、願望のロケットは発射してあること、そのあとは「源《ソース》」がめんどうを見てくれること、出会いのための環境や出来事は「引き寄せの法則」が整えてくれること、そして今のあなたの唯一の仕事は出会いを妨げないことだと、しょっちゅう思い出しなさい。「出会いを妨げる」ことをすれば、あなたは必ずネガティブな気持ちになる。だから孤独だと感じたり、怒りっぽくなったり、短気になったり、落ち込んだり、嫉妬したりするたびに、出会いは遅れる。

わたしたちが物質世界のあなたがたと同じ立場なら、自分は願望を明らかにして求めるという仕事を済ませたのだ、といつも自分に言い聞かせるだろう。創造は既に完了したと認めるだろう。もう、済んでいる！　それから楽しむためだけにそのことを考えるだろう。考えることがうれしくて満足を感じられるなら――まだ起こっていないことを無理に起こそうという相反するエネルギーがなければ――波動は純粋で力強く、創造は邪魔者なしにスムーズに流れ出す。

完璧なビジネスパートナーを見つけるには

ジェリー　ビジネスパートナーを探しているとしたら、あなたがたは例外的な能力や特別の技能を持った人を探しますか？　それとも自分の全体的な意向と一致する人を探しますか？

エイブラハム　もちろん、その質問にはちゃんと答えてあげるが、その前にもう一つ、広く信じられている間違った思い込みを指摘しておこう。

間違った思い込み その10

望むものをすべて獲得することはできない。だから、何かを得るためには大事なことをあきらめなくてはならない。

好ましい性質と好ましくない性質を持った人たちとつきあっていれば、いい面も悪い面も受け入れなければならないし、好ましい部分を経験するには好ましくない部分を我慢しなくてはならない、と思うのも無理はないだろう。それにほとんどの人たちはただ現状を見るだけで、その先へ思考を向ける努力をあまりしないから、たいていは現状に関心を集中し続ける。だから関心を向けているのと同じようなことがさらに起こり——さらにそこに関心を集中するから——さらに同じようなことが起こる。結局、つきあう相手をコントロールすることは難しい、できない、と思ってしまう。

周りの人の好ましい性質に関心を集中すれば、あなたが出す波動はその人たちの最善の部分とだけ一致する。そうすれば「引き寄せの法則」が働いて、あなたはその人たちの最悪の部分を経験しなくなる。最悪の部分に関心を集中すれば、最悪の部分にだけ波動が一致することになる。すると「引き寄せの法則」が働いて、あなたはその人たちの最善の部分を経験できなくなる。

「例外的な能力」を持った人、とあなたが言うのは、普通「本当の自分」と調和している人たちだ。「例外的な能力」といわれるほどの輝きや聡明さ、直観力は、「本当の自分」と調和している人の特徴でもある。

わたしたちがパートナーを探すなら、ビジネスパートナーでも個人的なパートナーでも、まず自分自身と調和している人たちを探すだろう。人は「本当の自分」と十分に一致しているときにはいい気分になるし、インスピレーションがわくし、「よいあり方《ウェル・ビーイング》」や愛やいいものすべてと一致する。そして、そういう人を見つけることについてわたしたちに言えるいちばん大事なことは、あなた自身が自分と調和していなければそういう人たちと波動が一致しない、ということだろう。

自分自身と調和していない人たちの多くは、パートナーを頼って物事を改善しようとする。だが、そういうやり方は本質的に間違っている。自分が調和していなければ、物事を改善できる調和した人たちに近づくことができないからだ。要するに、それはできない相談なのだ。

そこで、この大切な質問に対するわたしたちの答えはこうなる。明らかに幸せだが、あなたのビジネスにふさわしい技能も関心も持っていない人たちがいるし、あなたのビジネスに必要な技能をすべて持っているかもしれないが、幸せではない人たちもいる。わたしたちなら、**才能ある人――ビジネスに必要な能力がある人――で、しかも明らかに幸せな人を探す。簡単に言えば、自分と「見えない世界の自分」を一致させるように努めなさい。**そうすれば（つまり幸せであれば）、あなたが求めることは自然に実現するだろう。

政治をするのに最もふさわしい人は？

ジェリー　政治の領域についてですが、わたしたちの暮らしの基準や内容、条件などを決めるのにいちばんふさわしいのは、どんな資格や能力を持った人たちだと思われますか？

エイブラハム　その質問は、前に話した間違った思い込みと関係するね。正しい暮らし方と間違った暮らし方があり、社会の目的は正しい暮らし方を見つけて、全員がその「正しい」暮らし方に賛成するように、あるいは従うように説得することにある、という思い込みだよ。

地球の暮らしの多様性には素晴らしい値打ちがあり、とても役立っている。その多様性から、**すべての新しい考え方や拡大・成長が生まれるのだからね。多様性がなかったら、自己満足、そしてエンドマーク**（終了）**だろう。**

この間違った思い込みをもう少し先に進めて、今生きている人たちの意見が完全に一致すると想定してみようか。説得されてか強制されてか、どちらにしても、正しい生き方はこれだと全世界の意見が一致したとする。だが、見えない世界の力強い見晴らし地点に基づく理解を抱いた赤ん坊は毎日、新しく生まれてくるよ。その赤ん坊たちは多様性を求めている。人口の一部が（出生を通じて）あなたがたの環境に入ってきて、一部が（死亡によって）出て行くが、人口の大半はとどまって継続性と安定性を提供する。これは完璧なプロセスなのだ。

人生を生きる個人としてあなたがたは個々に、また集団的にも、地上におけるもっといい暮らしを求める波動を常に出し続けている。個人としても集団としても、この波動の要求を――敏感な宇宙がその要求に着々と反応することも――止める方法はあり得ない。

さっき話した人口のなかの安定した中心的部分は、普通（現状に関心を向け続けることで）限界のある信念に頑固にこだわるが、そのために求めているもっといい人生を即座に受け取ることが妨げられる。だが年老いた、したがって「自分のやり方に固執する」者たちは亡くなり、もっとオープンで熱意のある者が生まれてくる。**だから、あなたがたが人生に促されて出す要求に応じて、人生は継続的によくなっていく。**

特にいい暮らしにつながるイデオロギーがあり、そのイデオロギーによって人を指導し、導き、法律を作り、さらにいい人生への取り組み方法を決めるのにふさわしい人たちがいるし、そのように型にはめられた人生は喜ばしくて満足できるものだ、と主張する人たちが大勢いる。だがあなたがたの地球では、それよりもっともっと壮大なことが起こっている。**地球の何十億もの人たちは、かつて予想したとおりに完璧な多様性を生きて、常によりよいものを求め続け、それによって次の世代のために人生経験をもっとよくする条件を整えている。そこが理解できれば、もう「正しい生き方」があるなどと主張しないだろうし、そうすればもっと早く物事はよくなっていくだろう。**

そこで「わたしたちの暮らしの基準や内容、条件などを決めるのにいちばんふさわしいのは、どんな資格や能力を持った人たちだと思われますか」というあなたの質問への答えはこうだ。**あなた以上にあなたの基準を定めるのにふさわしい人は誰もいない。**だが、心配するには及ばない。あなたは求めを出すことをやめられはしないし、「源《ソース》」はそれに応えることを決してやめないから。そしてあなたが、今ここで（求めることと反対のほうへ関心を集中することによって）自分が求めるものに抵抗するのをやめれば、求めるものはただちに人生経験のなかに現れるだろう。言い換えれば、政府や指導者のどこかに関心を集中して明るい気持ちになるなら、あなたは人生で選んだことに抵抗してはいない。だが、いつも見るものに不安を感じて抵抗しているとしたら、その望ましくないことを理由にして自分が選んだものに抵抗し続けてしまう。

政府でも他人でも、できるだけ高く評価しなさい。そうすれば、既にあなたが選んで、あなたのために用意された、そしてあなたのほうへ引き寄せられてくるものの繁栄を妨げることはなくなる。力強い「引き寄せの法則」はいつでも例外なく、あなた自身の人生が決めた基準をあなたのもとへ引き寄せる最高のパワーを持っている。

政府の最善の形は？

ジェリー　それでは、わたしたちの政府の完璧な形とはどんなものだと思われますか？

エイブラハム　あなたがたが望みどおりの存在になり、望みどおりのことをし、望みどおりに所有する自由を認める政府だろう。そして、あなたがたが自分はどうやって得るものを得ているのかを理解したとき、そういう政府ができるだろう。あなたがたの政治とはたいていの場合、あなたがたをお互いから守るために作られたルールや規制だ。自分が思考を通じて引き寄せていると理解すれば、そんな制約の必要性は感じなくなるだろうし、そうすれば本来の形の——制約やコントロールではなくサービスを提供する——政府を樹立することができるだろう。

動物との自然な関係は？

ジェリー　地上の動物とわたしたちの自然な関係とはどんなものでしょうか？

エイブラハム　この地上でともに暮らす動物について、あなたがたが思い出さなければならない大切なことは、動物もあなたがたと同じように「ソースエネルギー」の延長としてこの環境にやってきた、ということだ。言い換えれば、動物もあなたがたと同じように「内なる存在」あるいは「源《ソース》」の視点を持っている。そして人間と同じように、物質世界の身体に宿ったあとの視点が「源《ソース》」の視点と違ってしまうと、抵抗の状態になるだろう。だが、動物はあなたがたよりも抵抗や分離の状態になることが少ない。人間と違って動物はだいたい「より広い視点」と結び付いた、あるいは調和した状態でいる。

人は「より広い視点」の波動に調和している動物を見ると、それを「本能」と表現する。あなたがたが動物の「本能」とよぶものを、わたしたちは「より広い視点と調和している状態」とよぶ。

物質世界の動物が「より広い、見えない世界」の自分と調和している証拠は、あなたがたの周りにいくらでも見られる。あなたがたはそれが動物の行動様式あるいは「本能」だと思うが、実はあなたがたが見ているのは、抵抗しないがゆえに「より広い視点」に完全にアクセスして大きな全体像をいつも理解している動物の姿だ。

創造の三つの段階

創造には次のような三つの段階がある。

❶第一段階：求める（コントラストのある人生経験をきっかけに、あなたがたは求める）

❷第二段階：応える（これは物質世界の視点ではなく、見えない世界のソースエネルギーの仕事）

❸第三段階：「許容・可能」にする（求めるものと波動を一致させる方法を見つけないと、答えが既に出ていても、自分の経験のなかに引き寄せられない）

人間も動物も見えない世界からやってきたのだが、その意図はそれぞれ違う。人間はごく自然に第一段階に関与する。関心を集中させて求めるという経験をするためにコントラストのある時空の世界を移動し、もっといい人生経験はなんなのかをどんどん明確にしていく。動物のほうはごく自然に第三段階にいて、「より広い視点」との調和を維持している。**人間はより具体的に関心を集中して創造することを主たる目的として、この世界へやってきた。動物はそれほど具体的な創造をせずにコントラストのある世界を移動していて、決断することはどちらかというと少ない。簡単に言うと、人間のほうが創造的で、動物のほうは「許容・可能」にすることが多い。それが自然な傾向だ。**

動物もコントラストを経験して、もっといい条件を求める波動を出すことがあるが、たいていは人間よりも「より広い視点」との調和を維持している。しかし、人間のように積極的にコントラストのなかを移動して、意図的に思考を「より広い視点」と共鳴させ、「許容・可能」な状態にいると同時に積極的な創造者の経験という利益を得ることもできる。

地上の動物はお互いにとって、それに人間にとって重要な食糧源だが、動物が地球という星にもたらす最大の価値は波動のバランスにある。動物はソースエネルギーの延長で、圧倒的にソースエネルギーと調和しているからだ。あなたがたも知っているとおり、人間と動物は素晴らしいコンビなのだよ。

動物に影響を与えられるか、それともコントロールするだけか？

ジェリー　人間は地球のほかの生き物に影響を与えられるんですか？　それとも野生の馬を飼い馴らして制御するように、コントロールするだけですか？

エイブラハム　コントロールは、しようとするほうにもされるほうにも決して満足をもたらさない。**コントロールすることもされることも、人間にとっても動物にとっても不自然だからだ。**

コントロールしようとする者がいなければ、すべてが「源《ソース》」との調和を見いだすだろうし、すべてが仲よく共同創造という経験をするだろう。人間にしても動物にしてももともと自己完結的な自分中心の性質を持っていて、「いつまでも」それを満足させようとする。言い換えれば、自分のなかの「源《ソース》」と完全に調和し、優れた「より広い視点」をちゃんと経験できていれば、生き延びるため、あるいは自分の幸せのために他人をコントロールする必要などまったくない。調和していれば、いつでも自分が求める幸せが実現する環境に導かれる。調和の状態にない者だけが、他をコントロールしようとする。

調和の状態にあれば自分の意図と矛盾した波動を出すことはない。強力な調和の状態にあって、矛盾した波動がなければ、**自分の意図になんの抵抗もない証拠を「引き寄せの法則」が提供してくれる。それが影響力というものだ。そういう「結び付いた」状態にあると、あなたの影響力はとても強くなる。あなたが弱くなる唯一の原因は矛盾した波動だ。**

影響力が強いといっても、誰かがやりたいことをやめさせて代わりにあなたを喜ばせるように仕向けられるということではない。自分の意図と矛盾した波動がなければ――したがって力強い波動の信号を出していれば――「引き寄せの法則」によって信号と一致する人や状況や出来事がただちに現れる、という意味だ。あなたがつきあう人は誰でも無数の意図を持っているし、その核心には「純粋で前向きなエネルギー」という「存在」がある。だからあなたが調和した状態なら、つきあう人たちの真の性質と触れ合うことができる。**自分自身の調和に関心を集中すること、それが影響力を維持する最善の方法だ。**

動物は直観的に自分に利益をもたらしてくれるものや人に引かれ、そうでないものや人からは遠ざかる。

物質世界と「見えない世界」のいちばんいい関係は?

ジェリー　わたしたち人間と「見えない世界の知性」との関係について、説明していただけますか。それから、その二つのいちばんいい関係とはどんなものでしょうか?

エイブラハム　これはとても重要な質問だ。それどころか、関係性についてのこの本の基本そのものだといっていい。あなたとあなたの「源《ソース》」との関係は、あらゆる関係のなかでいちばん大切なものだし、**この関係を理解しなければ、ほかの関係だってはっきり理解することはできない。**

物質世界の身体に宿っているあなたがたは、自分と周りの人たちとは別だと考えやすい。自分の人生を周りの人たちの人生と組み合わせながら、「わたし」と「あなた」をはっきり区別する。同じように「人類」は「神」あるいは「源《ソース》」、「見えない世界」を自分とは違うと考えて区別する。

物質世界の身体に焦点を結んでいても、あなたがたは「源《ソース》」の延長だ。ここでとても重要なことをはっきりさせておこう。「源《ソース》」は物質世界の身体に宿っているあなたがたと

「源《ソース》」を全然分けて見ていない、ということだ。物質世界の身体であるあなたがたとあなたがたのなかの「源《ソース》」が分離する、あるいは完全に統合されない理由は、ひたすら物質世界のあなたがたの視点や振る舞いにあるのであって、「源《ソース》」の視点や振る舞いとはなんの関係もない。

「源《ソース》」あるいはあなたがたの「内なる存在」は——呼び方はなんでもいいが「見えない世界の部分のあなたがた」は——物質世界と「見えない世界」の永遠の関係を理解している。それに「源《ソース》」は、あなたと地球を分け合っているほかの存在との永遠の関係も理解している。だが、そのことはあとでもっと詳しく話すことにしよう。

ここではあなたがたに「見えない世界の知性」との関係について考え直してほしい。ある二者の関係を考えるとき、あなたがたは普通それぞれを個人あるいは別の実体としてとらえ、それぞれがなんらかの振る舞いをする、あるいは相互に作用すると考える。だが、あなたがたは自分の「源《ソース》」と別ものではなく、その延長であることを理解してほしい。そしていつも自分の「より広い部分」の波動との調和あるいは不調和に気づき、感じてほしい。今抱いている思考が「より広い視点」と完全に調和し、「より広い視点」の知識が自分のなかを自然に流れて、生き生きした明晰で楽しい気分をもたらしているかどうかを、常に意識してほしいのだ。混乱や怒り、不快感を覚えたときは、抱いている考えが「より広い見えない世界の視点」と合致せず、調和が乱れているのだと気づいてほしい。

「人類」と「見えない世界の知性」の関係とは、あなたがたの「ナビゲーションシステム」のことだ。

「人類」と「見えない世界の知性」の関係とは、「すべてであるもの」の拡大・成長のことだ。

「源《ソース》」の視点から見た「人類」と「見えない世界の知性」の関係には、決して分離はない。物質世界の視点から見た「人類」と「見えない世界の知性」との関係は変化する。気分がよければ、「結び付き」あるいは関係は完全だ。気分が悪ければ、「結び付き」あるいは関係は壊れている。

さっきの質問はこの本の核心部分に、そして物質世界の身体に宿ったときに「人類」が抱いていた意図にかかわっている。あなたがたは「ソースエネルギー」の延長としてコントラストを探求し、自分だけでなく「すべてであるもの」の拡大・成長を実現するのだということを理解して、物質世界にやってきた。またいつでも、たとえ未踏の領域に足を踏み入れるときでも、自分のなかの「ナビゲーションシステム」は決して揺らがないこと、常にあなたが目指す幸せを指し示していることを知っていた。どんな状況でも自分の「感じ方」を頼りにすれば——自分と「見えない世界の自分」は別ものではなくて調和し共鳴していることを理解すれば――「源《ソース》」の力に立ち戻れることを知っていた。「許容・可能にする術」をマスターして、いつも自分のなかの「源《ソース》」と調和していれば、ほかの関係はすべて自分に役立つ楽しいものになるだろう。

職場が楽しくなかったら？

ジェリー　エイブラハム、仕事は楽しいが、上司が横暴で威圧的だったら、仕事を変えたほうがいいでしょうか？　それとも、もっといい解決策がありますか？

エイブラハム　ここで、もう一つの間違った思い込みを指摘しなければならないね。

間違った思い込み　その11

好ましくない状況から離れれば、自分の願いがかなうだろう。

あなたが関心を注いでいる対象はすべて、ある周波数の波動を出している。そこに一定期間、関心を注いでいると、あなたのなかでも同じ周波数の波動が活性

化される。自分のなかで波動が活性化されれば、その対象から離れても自分の経験から締め出すことはできない。これは重要なことだから、覚えていたほうがいい。簡単に言えば、そこから離れるという行動には、思考の引き寄せパワーを相殺する力はない。

職場の誰かに横暴だとか威圧的だという強力なレッテルを貼るからには、かなりの期間、その好ましくない状況を観察し続けていたに違いない。当然、自分のなかにもある思考パターン、あるいは対立する波動パターンが生じていて、その引き寄せの作用点が相当強力だということになる。転職するという行動でその状況から離れたとしても――あるいはその上司のいる部署から別の部署に異動させてもらったとしても――どこへ行こうと、あなたがあなたであることに変わりはない。

その状況から離れても波動パターンが変わるわけではない。元の上司のように感じの悪い人が目の前から消えても、普通は以前の経験を思い出したり説明したりして転職や転勤の必要性を正当化しようとすることが多く、そのために自分のなかで同じ波動が活動し続ける。

渦中にいるときに気づくことは難しいだろうが、横暴で威圧的な相手との関係はあなたにとってとても大きな価値があった。その不愉快な経験によって、自分がどう扱われたくないか、どんな仕事が嫌か、見下されることがどれほど望ましくないか、失礼な態度をとられたくないか、誤解されたくないかが非常にはっきりしたわけだ。そういう経験をしている間、あなたは自分が望むのは何なのか、自分はどう扱われたいのかという願望のロケットを発射していた。言い換えれば、その不愉快な経験があなたの拡大・成長、もっといい人生経験への跳躍台になった。

何かが起こって願望のロケットを発射するたびに、あなたの大きな部分――「源《ソース》」あるいは「内なる存在」――は、そのロケットを追って拡大・成長し、あなたのためによりよい経験というポジションを確保する。**そこでただ一つの問題は、あなたはその拡大・成長とどんな関係にあるか、ということだ。よりよい経験を想像し、そのきっかけとなったコントラストを高く評価しているだろうか? よりよい職場という人生経験を楽しく予想しているか? それとも不当な過去の経験について語り続け、その経験がきっかけになった新しい拡大・成長との調和を乱したままだろうか?**

ネガティブな気持ちになるのは、人生が拡大・成長のきっかけを与えたのに、自分がその拡大・成長を「許容・可能」にしていないことを示している。いつでも必ずそうだ。例外はない。つまり、ネガティブな気持ちの原因がどこにあると信じていようとも（ネガティブな気持ちを正当化したいという思いはよくわかる。状況がもっとよければ、いい気分でいられたはずだから）、ネガティブな感情になるのは自分の拡大・成長を「許容・可能」にしていないからなのだ。

横暴な上司があなたの願望と拡大・成長のきっかけにならなかったら、拡大・成長を「許容・可能」にしていない不快感に苦しむこともなかったはずだ。そこで、もっといい解決策はこういうことだ。今自分がいる場所と和解しようと心がけなさい。この不愉快な相手のおかげで、自分はどう扱われたいか、人をどう扱いたいかがとてもよくわかった、と認めるといいのではないか。その関係の不愉快な部分に抵抗するのではなく、長所を探すのだ。それに頭を冷やせば――さらに、上司だって悪気はないかもしれないと思えば――自分が考えているよりも簡単に抵抗が減って、新たに発見した拡大・成長の方向へ向かうことができるだろう。人生の何かがきっかけでもっといい状況を――それがどんな状況であっても――求めるようになり、慢性的に出ていた願望と対立する思考の波動を止めれば、願いはきっとかなうだろう。だが、望まないことを考える波動パターンを続けていたのでは、望みをかなえることはできない。それは「引き寄せの法則」に反する。

全員が「すべてを持つ」ことはどうして可能か？

ジェリー　わたしたちは「すべて」を持つことができる、とおっしゃいましたよね。でも、ほかの人たちも「すべて」を持ちたいと願っているのに、どうしてそんなことが可能なんですか？　お互いの願望が衝突しませんか？

エイブラハム　その質問はとても重要だが、大きな間違った思い込みが一つあるから、それを解決しておかないと、わたしたちの答えを理解することもできないだろう。

間違った思い込み　その12

わたしたち全員が願いをかなえたいと思うが、それに応えるリソースには限りがある。だからわたしが何かの望みを満足させると、ほかの人はそのぶんを奪われる。すべての豊かさ、リソース、解決策は既に存在して、発見されるのを待っている。誰かが真っ先に見つければ、残りの人たちはもう同じ発見をすることはできない。

あなたがたの多くが豊かさやリソースや解決策の「発見」と考えていることは、実は豊かさやリソースや解決策の「創造」であることを理解してほしい。あなたがたが人生経験をきっかけによりよいものへの願望を抱くと、その対象を求める波動がよりよいものの引き寄せと実現のプロセスを始動させる。「最先端」を生きているあなたがたは、もっといいものをただ発見するのではない。あなたがたが創造するのだ。

多くの人が願いを実現できないのは、常に展開し、拡大し、創造され続けているリソースの源泉について誤解しているからだ。地球という星の創造のプロセスや拡大・成長のなかであなたがたが演じる重要な役割を理解しないと、その誤解から生じる意識の欠落を経験する大勢の人たちの仲間入りをしてしまうだろう。

競争という意識の核心には、その誤解がある。あなたがたがこの世界に来たのは、地球という星のリソースの取り合いをするためではない。あなたがたは創造者としてやってきた。**時空の現実があなたがたのなかに願望を生じさせるなら、その時空の現実ははっきりとわかる形でその願望を実現する力を持っていると、わたしたちは断言する。**この世界に来たとき、あなたがたはそれを知っていた。それをしっかりと思い出し、意識して活用しなければ、あなたがたは最大のリソースから——その明晰さ、知識、そしてソースエネルギーから——自分を締め出すことになる。あなたがたの世界の不足とは、実はそれだけだ。

不足は例外なく常に自分で引き起こしていると気づくのは素晴らしいことだ。

だから、あなたがたは地球を分かち合う仲間と競争しているのではない。人が何かをとったからといって、あなたが奪われることは決してない。それどころか、ほかの人たちが存在するおかげで、あなたが受け取る能力も高まる。人々との交流のなかで、あなたの願望が刺激されるからだ。**自分の願望との調和を自分で壊さないかぎり、どんな願望もすべて満たされる。**競争や不足を、あるいはリソースの限界を感じるのは、あなたが自分の願望と調和していないことを示している。

法的契約は創造に反するか?

ジェリー ベストの選択をするために、いつも自分の感情を意識していなさい、とおっしゃいましたね。それでは「その瞬間」を生きて創造しつつ、同時に法的な書類で将来まで縛られるような長期的な関係や契約を結ぶことは、どうすれば可能なのでしょうか?

エイブラハム 今、思考や行動が必要な眼前の状況に関心を注いでいても、将来あるいは過去の出来事を考えていても、それをしているのがたった今であることに変わりはない。だからたった今、波動が活性化される。言い換えれば、未来の出来事に今どんな影響を及ぼしているかは、それについて考えている現在、どんな気持ちがするかでわかる。だから、あらゆる瞬間に自分の感情に気づき、いい気分になることを大切にしていれば、つまり現在の思考を「内なる存在」の思考と調和させようと意識して心がけていれば、楽しい瞬間がもっと多くなるだけでなく、**「源《ソース》」と調和した思考に焦点を置くことになり、何を考えても自分のためになるだろう。**

「何かについて本当にいい気分でいれば、好ましい方向へと展開し続ける」という考え方に反対し、初めはとても幸せだった人間関係でも破綻するじゃないか、と言う人たちがいる。だが何かに関心を注ぐたびに、そのときの思考が関心の対象に影響することを思い出せば、幸せだった最初のころから関係が破綻するまでの間に自分の思考が望むことから望まないことへと移行していたと気づくのではないか。人間関係の幸せな始まりから不幸な終わりまでの間に思考が常に望まないほうへと移動し続け、そういう思考につきもののネガティブな感情を経験していることがある。**どんな人間関係でも明るい生産的なものにしておくには、明るい前向きな面に意識して関心を注ぎ続ける必要がある。「今の」思考が望ましくないほうへと流れるのを放っておけば、将来にわたって関心の対象にネガティブな影響が出ることは避けられない。**

長期的な約束事の多くは、未来の好ましくない状況から身を守りたいという観点から結ばれるが、これは人間関係を始めるベースとしてはいいものではない。**集中した思考が持つパワーを理解すれば、身を守る必要があるとは思わなくなり、いつでも幸せでいられるという感覚が圧倒的になるはずだ。**

現在の状況や国の法律で長期的な約束に拘束されても、その約束でさえ変えられることを覚えていれば、バランスや調和、自由な気持ちを維持できる。マイホームを購入して20年から30年の約束ができても、その後、自分が望めば、マイホームを売却して約束を終わらせればいい。多くの人たちは「死が二人を分かつまで」と約束して結婚するが、その後、今度は「離婚」という新しい約束をして、前の約束を修正する。

思考のパワーを活用すれば――自分が生み出した新しい拡大・成長版の人生に意図的に思考を合わせれば――どんなところにいてもどこでも行きたいところに行けると気づいて、解放された気分になるはずだ。

セラピーの必要な問題がいつまでも続くのは？

ジェリー 何か具体的な問題を解決したい、解消したいと思ってセラピーを受けると、問題が何年も続くことが多いようです。どうしてでしょう？　どうして、そういう人たちの苦しみは続くんでしょうか？

エイブラハム　すべての瞬間は新しいからだよ。瞬間のすべての条件、要素はいつも一瞬前と違って、変化している。**何事も以前のままではない。物事はいつでも変化し続けている。だが慢性化した思考パターンのせいで、変化したあとも前と同じだということは多い。**

過去の問題のうえにどっかりと座り込んでいて、よりよい未来を創造することは不可能だ。それは「法則」に反する。**過去や現在の問題に関心を集中していれば、未来にある解決策に近づくことはできない。過去や現在の問題に関心を集中していれば、未来にも必ず問題が起こる。**

セラピーには、人生経験の望まない側面について話し合うと自分が望む変化がはっきりする、というメリットがある。**だがそれ以外は、望まないことについて話し続けても、望まない引き寄せパターンにはまりこむだけだろう。だが、自分が何を望むのかにはっきりと気づいて、そこに関心を集中すれば、人生は必ずよくなる。**

問題の波動の周波数と解決の波動の周波数には、非常に大きな違いがある。問題というのはある波動で、それに対する答えはまったく違った波動だ。望まない経験をすると、修正された願望が生まれる。そしてあなたの「内なる存在」は、願っているよりよい状態にしっかりと関心を集中する。あなたが「内なる存在」といっしょになって思考と波動を願望に一致させれば、すぐに明るい前向きな気分を感じるだろう。そして、よりよい状態が経験のなかに現れ始める。だが不当だ、不公平だというドラマを、あるいは望まない状態のドラムを叩き続けるなら、よりよい状態を自分で押しのけてしまう。

困っている人の役に立つには？

ジェリー　友達が困った状況にあり、まったく望まないことを経験したり、とても望んでいることを手に入れられずにいるとしたら、どうすれば助けてやれますか？　言い換えれば、困っている人の足を引っ張るのではなく役立ってあげるには、どうすればいいんでしょうか？

エイブラハム　困った状況にいてネガティブな気持ちになる友達も、そんな友達を見てネガティブな気持ちになるあなたも、どちらも自分の「より広い視点」と一致していない。あ

なたが友達の問題に気づくことは、実は友達にとっていいことではない。あなたが問題の波動を増幅し、問題を強力にするからだ。

友達がいつも問題について話したがるので、あなたが問題を強く意識する場合もある。だが、あなたが友達の問題に関心を向けるたびに、友達を助けることからはいっそう遠ざかってしまう。

あなたがたはコントラストに満ちたこの世界に焦点を結んでいる。この世界では問題に関心を向けると、解決策を求める波動が生じ、その解決策の準備が整い始める。だから、問題の具体的な面について話し合って、解決策を求める友達に力を貸すことはできる。しかし、友達は問題を増幅してもらわなくても、自分が何を求めるかをはっきりさせることができる。それはコントラストに満ちた宇宙が自然に引き起こすプロセスだ。**解決策を喚起するために、わざわざ問題をかきたてる理由はまったくない。**

あなたが解決策の方向に、つまり友達が望む方向か友達がこうあってほしいとあなたが思う方向に関心を向けるのでなければ、困っている友達の力にはなれない。あなたがいつ**でもいい気分でいようと決意し、友達がいくら問題を話題にしても、自分は改善の方向へ関心を集中していられるなら、あなたは大きな影響力を持てるだろう。**言い換えれば、解決策の方向へ関心を集中すれば、あなた自身の「内なる存在」と相手の「内なる存在」に、それから「引き寄せの法則」によって集められた協力的な要素に力を合わせることになる。**あなたが友達の問題の共鳴板になっていたら、ちっぽけな影響力しか持てないし、友達にとってはなんの役にも立たないだろう。**

それどころか、もっと困ったことさえ起こりかねない。問題をきっかけに友達が波動の現実に願望のロケットを発射するだけでなく、友達とつきあって問題に関心を集中したあなたも、友達に関する願望のロケットを波動の現実に発射する。言い換えれば、その経験によってあなたのなかに拡大・成長が起こるのだが、その拡大・成長の方向に関心を向けなければ――問題解決の可能性のほうに関心を注がなければ――あなたは自分の拡大・成長を押しのけることになる。

困っている友達のことが心配なときにはネガティブな気持ちになりがちだが、それは関心の持ち方のせいであなた自身が分裂しているからで、そこに気づくことが大切だ。友達に関心を注ぐのは当たり前かもしれないが、それは自分自身を分裂させる原因にはならない。原因はあなたの関心の持ち方にある。

友達の前向きで肯定的な側面に目を向けて、いい結果を期待すること、それが友達のために役立ってやれるたった一つの方法だ。あなたがネガティブな関心を注いでいれば、どんな行動をとっても、その流れをはらいのけるほどの強さはない。

ジェリー　すると、問題や心配事について話し合うのは自分自身のためにも相手のためにもならない、ってことですか？

エイブラハム　そのとおり。願望と対立することに関心を注いでいたら、よいことは一切生まれない。あなたにもネガティブな会話の相手にも有害だ。

つらい人間関係を繰り返し引き寄せるのはなぜ？

ジェリー　痛みと怒りしかもたらさない人間関係を何度も引き寄せる人――苦痛のあまり、ついにその人間関係に終止符を打っても、すぐにまた本質的には同じようにネガティブな人間関係にからめとられてしまう人――がいますが、あれはどうしてでしょうか？　このパターンを変えるには、どうすればいいとお思いですか？

エイブラハム　望ましくない状況から立ち去り、二度と繰り返さないことは可能だ。だがそうするためには、望ましくない状況について語ったり、考えたり、抵抗するのをやめなくてはいけない。困った経験の波動を完全に非活性化する必要がある。そして、思考あるいは波動を非活性化する唯一の方法は、ほかの波動を活性化させることだ。**望ましくない状況の再現を避けたかったら、望ましい状況について語ること。何を望むかについて語り、望ましくない経験や状況、結果に関する対話は打ち切りなさい。**

思考を監視し続けるのは退屈だし、疲れる。だから思考の方向を意識して変える最善の方法は、いい気分でいたいと強く思うことだ。**いい気分でいよう、明るい気分でいようと決意すれば、ごく初期の微妙な段階で、ネガティブな引き寄せに気づくことができる。ネガティブな思考は、勢いがついてからよりも初めの段階で手放すほうが容易なのだよ。**

子ども時代の影響から逃れられるか？

ジェリー　自分の力を奪う思考の多くは子ども時代から始まっていますよね？　言い換えると、子どもの考え方に大人がどれほど大きな影響を与えているか、ということです。子どもは親から学んだ抵抗ある思考パターンを続けるよう運命づけられているのでしょうか？

エイブラハム　「運命づけられている」という言葉は強すぎるが、確かに子どもは親の思考に影響を受ける。誰でも何かに関心を注げば、その対象と似たような波動を出し始める。

だが、次のことは大事だから、覚えておいたほうがいい。歳がいくつであっても、自分がその瞬間に関心を注いでいる対象の波動と、同じ対象に対する自分の「源《ソース》」の見方の波動があり、その二つの波動の関係が重要だ、ということだ。

例えば、大人が子どもの振る舞いに眉をひそめて、子どもを叱る。自分を否定する大人を見ると、子どものなかでその否定に対応した波動が起こる。だがそのとき、子どものなかの「源《ソース》」は子どもを評価し肯定している。どんな状況でも「源《ソース》」は決して愛を引っ込めないし、非難しない。そんなことは絶対にない！　だから、物質世界の大人に否定されて活性化した波動と、「源《ソース》」が活性化している愛の波動との間に不調和が生じる。それがネガティブな気持ちとして感じられる。**ネガティブな気持ちになるときは必ず、「源《ソース》」の視点と物質世界の身体に宿ったあなたがたの視点とが一致していない。**

ここで、対立する波動が生じるまでネガティブな感情は生まれないことを指摘しておいたほうがいいだろう。言い換えれば、ほかの人にいくら否定されようが、他人の否定に長く関心を集中して自分のなかで否定の波動を活性化させないかぎり、あなたは不調和を感じない。だが、たいていの親は自分が正しいと確信しているから、よくないと信じる振る舞いに関心を集中し続ける。それで相手に影響が出て、子どものなかに不調和が生じてしまう。

実に興味深いのだが、当人の「源《ソース》」の態度やアプローチと、ほとんどの親の態度やアプローチには驚くほどの違いがある。「源《ソース》」はどんな極端な状況でも愛や評価を引っ込めることはない。「源《ソース》」の愛を失う結果になるような行動はあり得ない。ところが、「源《ソース》との意識的な結び付き」を失った物質世界の親は、失敗や非行と見なすことにばかり子どもの関心を向けさせようとする。

気づいたことがあるかもしれないが、特に小さい子どもは自分が間違っていたと認めたがらない。たとえ間違いや過ちを見つけられても、自分についていい気分でいたいというのが子どもの自然な本能なのだ。

他人の影響で自分の価値に疑いを持った瞬間から、もう一度自分の価値を認めたいという強力な願望が生じる。宇宙には幸せと自尊心以上に大きな推進力はない。だから、あなたがほとんどの子どもたちと同じように、周りの大人の大半が「源《ソース》」との意識的な結び付きを失っているところに生まれたとしても、ほんのちょっとでもその結び付きを垣間見れば、その呼びかけに気づく。それを感じる。**この本のいちばんの目標は、自分のなかの「源《ソース》」との調和を意識的に求めようという決意をあなたがたに促すことなのだ。**

人が肯定したり否定したりしてあなたの行動に影響を与え、ある方向へ導こうとするとき、その人たちを喜ばせようとすると、あなた自身の「ナビゲーションシステム」から意識が遠ざかる。わたしたちが物質世界の親の立場なら、子どもたちには自分の「ナビゲーションシステム」に気づきなさい、それをいつでも活用しなさいと真っ先に教え、励ますだろう。自分自身の「より広い視点」と調和することが大切なのであって、物質世界の知識をどれほどたくさん伝えても、その調和には及ぶべくもないのはわかりきっているからだ。言い換えれば、物質世界の視点に立つわたしが喜ぶことをしなさいと相手に強要し、「源《ソース》のより広い視点」を無視させることは、わたしたちが誰にも決して要求しない大きな犠牲だ。

手を焼かせる子どもはいい子どもか？

多くの子どもは人間世界の強力な影響を受けてもなお、自分の「より広い視点」を持ち続けている。そういう子どもたちは親や教師たちに「問題児」「困った子」というレッテルを貼られることが多い。そして「強情」だとか「学習できない」と批判される。わたしたちがわかってもらいたいのは、誰だって生まれながらに自分の「ナビゲーションシステム」に従って道を見つけようという気持ちを持っている、ということだ。さらに、自分の「より広い視点」との結び付きを維持しようという強力な意志を持って物質世界の身体に宿る者も大勢いる。周りの人間はそういう人たちを、なかなか意志を曲げない頑固者と考えるが、それはとてもいいことなのだ。

多くの人は他人に肯定してもらいたがるという意味で社会化されているので、たいていはとても難しい人生を送る。影響力を持つ周りの人たちのうち、誰になびくべきかを決めるのは、簡単な仕事ではないからだ。

周りに順応して問題を起こさず、他人に肯定してもらおうと長年努力してきた人たちの多くは、ついにはそんな努力が無駄なことに気づく。どんなに他人を喜ばせようと努力したところで、いつだって喜んでくれる人よりも喜ばない人のほうが多いのだ。それに、誰が正しい生き方を決めるというのだろう？

あなたがたは「素晴らしい目覚め」の時代に生きている。ますます多くの人々が自分の価値に意識的に目覚めていくだろう。望まないことを押しのけて望むことだけを残そうという不可能な仕事を試みる人は減っていくだろう。ますます多くの人が、長い間求めてきたのは他人の行動を変えることでも、外の世界を変えることでもなく――どちらもコントロールできない――自分で完全にコントロールできる自分自身の「源《ソース》」との波動の関係を理解することだと気づくだろう。

乱れた調和を取り戻すには？

ジェリー　調和が乱れた環境に生まれたとしたら――あるいは、不愉快な職場環境に置かれたとしたら――そんな状況でも前向きで明るい人生経験をし続けるには、どうすればいいのでしょうか？

エイブラハム　まず勧めたいのは、いわば「鳴りをひそめて」いることだ。不調和に気づいた自分をできるだけ目立たせないこと。それどころか、自分も不調和を意識しないようにできるだけ努力するほうがいい。不調和に気づかなければ自分のなかで不調和の波動が活発にならないから、「引き寄せの法則」がもっとたくさんの不調和を運んでくることもない。

だが、好ましくない出来事に気づいたとしたら――不当なことに関心を向け、それを解決したいと思ったら――自分のなかでその波動が活性化し、好ましくない混合物に自分が引き寄せられてしまう。自分の立場から不正に気づいて指摘すると、あなたが不正だと思うことに加担している人たちが前に大きく立ちはだかり、あなたのほうが間違っていると説得しようとするだろう。するとあなたも抵抗し、向こうも抵抗するから、不調和はますます大きくなり、どちらの側も長続きする解決策を見つけられない。

すべてのコントラストは参加者すべてがよりよい状況を求める原因になるが、当事者は普通激しく抵抗するので、たとえ解決策が身近にあっても見えない。

自分が望まないことに目を向け続けて、ついに我慢できなくなり、そこから立ち去ってほかの場所へ移っても、長続きする解決にはならない。立ち去った理由そのものが自分のなかで圧倒的な波動として残るから、離れてきたはずのシナリオが経験のなかに次々と現れる。言い換えれば、新しい場所、新しい仕事、新しい人間関係に変わっても、自分の引き寄せの作用点は変わっていない。

奇妙に聞こえるかもしれないが、よりよい新たな状況に到達するいちばんの近道は現在の状況と仲直りすることだ。現在の状況のなかで前向きで肯定的な側面を見つけてリストアップし、せっかくあなたを待っている改善に抵抗するのをやめること。だが、現在の状況が不当だと怒り続けていたら、望まないことと一致した波動が続くから、改善の方向には向かえない。それは「法則」に反する。

改善を求める強い願望はいつでも不愉快な状況から生まれるのだから、あなたの大きな部分は、あなたの人生のコントラストの利点を既に経験しているわけだ。そしてあなたもたった今――多くの人が思っているよりずっと簡単に――そのコントラストの利点を享受できる。最初はそう容易ではないかもしれないが、要するに自分のいるところを最大限に生かす、ということだ。

宇宙のすべての粒子には望むことと望むことの欠落との二面が存在する。望むことに目を向けようと決意すれば、抵抗の波動パターンが変化するから、長い間望まない状況を続けることは不可能になるだろう。

子ども時代がネガティブなら、大人になってもネガティブか？

ジェリー　子どもは親からネガティブな影響を受ける場合があるってことですね。でも、だからといって、大人になってもその影響を受け続けなければならないわけではありませんよね？　言い換えれば、大人になったらいつでも自分で決断できますね？

エイブラハム　その言い方からすると、幼い子どもが年上の大人たちとの関係をコントロールすることは全然、あるいはほとんど不可能だ、と思っているようだね。だから、その子どもが大人になって自分で決断し、自分の人生をコントロールできるようになるまで、物事はよくはならないと考えているのではないか。

この本を読んでいるあなたは大人だから、「幸せのヴォルテックス」のなかに入って、人生経験のすべてを前向きにコントロールし、自分の「内なる存在」との波動を最優先しようと決めることができる。だが、別な見方もあるよ。子ども、それもネガティブな状況にいて自分の人生経験をほとんどコントロールできないように見える子どもでも、物質世界の自分と「見えない世界の自分」の関係はほとんどの大人よりもましだ。言い換えれば、二つの自分の波動の関係は人生の初めのころのほうが変化が少ない。生まれてから時がたつにつれて、いろいろな抵抗の思考を身につけ、そういう思考がだんだん増えていく。だから人生経験をコントロールできないように見える子どもたちのほうが、大人よりもずっと幸せなのだよ。この本はそのプロセスを逆転する力になるために書かれたのだ。

二つの波動の見晴らし地点の関係に気をつけていようと決心すれば（つまり、いつでも自分がどう感じるかがいちばん重要なのだと決めれば）調和が実現し、世界を創造する「エネルギー」にアクセスできて、自分の存在理由が満たされる。そして、いつまでも幸せに暮らせる。このことを理解してほしいとわたしたちは思っている。

だが、自分のなかの「源《ソース》」との調和に思考の焦点を置こうと決めなければ、いい気分にはならないだろう。楽しい人生とは、周りのさまざまな要素をコントロールできる人生ではない。楽しい人生とは「本当の自分」と調和している人生だ。ほかの人や状況をコントロールすることが楽しいのではない。物質世界の自分と「見えない世界の自分」の波動の関係をコントロールすることが楽しい。「源《ソース》」との調和こそが喜びであり、愛であり、成功であり、満足なのだ。

過去の苦しみを引きずっていると、現在の苦しみが大きくなる

ジェリー 人生のトラウマを経験している人で、今の問題の原因は親にあると信じている人がたくさんいます。でも親を非難している間は、問題を経験し続けるのではありませんか？

エイブラハム 今いい気分になれない原因を遠い過去（例えば子ども時代）の何かに求めようとすれば、不愉快な思考を抱き続け、波動を活性化し続けなくてはならない。不愉快な記憶の原因が親でも、兄弟でも、学校のいじめっ子でも、あるいは不機嫌な教師でも、何年たってもまだそれが問題になる原因はたった一つ、その関係についての思考を抱き続けていることだ。

信念とは抱き続ける思考である、と定義しよう。言い換えれば、あなたが関心を集中し、

考え、語り、観察し、思い出し、検討すれば——それが過去、現在、未来のいつのことであっても——思考の波動は今、活性化する。そして、その瞬間の感情は、活性化している思考が「内なる存在」の視点とどう響きあうかを知らせている。今の思考が「内なる存在」の知っていることと共鳴しなければ、不調和だよとネガティブな感情が教えてくれる。この「ナビゲーションシステム」の存在に気づかず、関心を移動させれば気持ちが明るくなることがわからないので、調和しない思考を続け、自分の嫌な気持ちは関心の対象のせいだと責めたりする。

あなたがたは自分がいい気分でいるべきだと本能的に理解しており、そうでないときは何かがまずいのだとわかる。だから、ネガティブな気持ちになると、モノでも人でもとにかく自分の関心の対象のせいだと責めたくなるのは無理もない。

そこで、長期間にわたって不愉快なことを思い出すたびに嫌な気持ちになり、しかも思考と関心をコントロールする努力をせず、「内なる存在」の視点との不調和をそのままにしておくと、不調和な波動がますます強くなる。言い換えれば、過去の人生に関するネガティブな信念がますます大きくなって勢いを得るばかりでなく、それに焦点を合わせて「源《ソース》」と調和しない口実に使ってしまう。

多くの人はそのような過去の葛藤を解決しようとしても無駄だと感じている。過去のドラマの主な関係者はたいてい亡くなっているし、まだどこかに生きていても、自分が悪かったと認めてくれる可能性は少ないからだ。それに、いずれにしろ被害は生じている。トラウマになる、あるいはドラマチックすぎる子ども時代（それが現実でも思い込みでも）の影響で、「ソースエネルギー」と調和しないほうへ関心を向ける癖がつき、その傾向が強いために、ある信念（慢性的な思考パターン）がしっかりと根を下ろしてしまった。だからその不調和な思考に関心を向けるたびに、ますます調和が崩れる。

そうやって過去を非難している人が気づいていないのは、実は物質世界に今いる自分と「もっと広くて純粋で前向きなエネルギーである内なる存在」との関係の調和が崩れているということだ。苦しいのは子ども時代の虐待のせいではない（これは、もう自分ではコントロールできない）。そうではなくて、今この瞬間に物質世界にいる自分と「見えない世界の源《ソース》」が調和していないから苦しい。そして、この関係は完全に自分でコントロールできる。

何に思考を集中するかを自分でコントロールし、自分自身の「源《ソース》」やパワーと調和する信念を持とうと努力すると、大きな解放感を味わえる。「自分がいい気分になるためには、他人が変わらなくてはいけない」という間違った思い込みを続けていると、ますます泥沼にはまっていく。

「問題を解決」しようとしても、問題が増えるだけか？

ジェリー　過去を振り返ってみると、わたしにはどうも問題を解決したがる傾向があるようです。一生懸命に考えれば解決できると思っていたんですね。でも、そうするとたいてい問題は増えるばかりなんですよ。

エイブラハム　問題を解決する唯一の方法は、解決策に目を向けることだ。解決策のほうに目を向けていれば、必ずいい気分になる。問題を振り返っていれば、必ず嫌な気分になる。

そこで前にも話した間違った思い込みが登場する。「望まないことに強力に圧力をかければ、望まないことは消えてなくなる」という思い込みだ。だが、がんばって押しのけようとすればするほど、相手は強くなり、経験のなかにたびたび現れる。

どんなことにでも二つの面があると覚えておくといい。望むこと、そして望むことの欠落だ。問題に関心を向けるのと解決策に関心を向けるのとではたいした違いはないと思うかもしれないが、決してそうではない。問題の波動の周波数と解決策のそれとでは、全然違う。**自分がどちらに目を向けているかを知るいちばんいい方法は、自分がどう感じてい**

るかに気をつけることだ。感情はいつでも、「より広い」知識と解決策の方向へ目を向けているか、それとも反対に問題のほうへ目を向けているかを教えてくれる。

エイブラハム、愛について教えてください

ジェリー　わたしたちの世界では、愛というのは圧倒的な言葉です。人類全体と愛という言葉との関係をどうご覧になっていますか？

エイブラハム　愛の状態とは、自分のなかの「源《ソース》」の波動と完全に調和した状態のことだ。愛の状態にいるときには、自分のなかで抵抗の波動はいっさい活動していない。例えば、親が子どもの絶対的な幸福に関心を集中していれば、自分のなかの「源《ソース》」の子どもに対する見方と完全に調和しているから、抵抗の波動はまったく存在しない。だから、親は「愛」を感じる。だが、子どもの困った行動と思うものに関心を集中していたり、子どもに何か悪いことが起こらないかと心配していると、その思考は自分のなかの「源《ソース》」の子どもに対する見方とまったく調和しないので、親の波動のなかに抵抗ができる。だから、親は怒りや不安を感じる。

「問題」と「解決策」の波動がまったく違うのと同じで、「愛」の問題は、「本当の自分」と調和しているかどうかという観点から見ることができる。トラウマや不安や怒りという場から「あなたをどれほど愛しているか、わからないの！」と子どもに叫ぶ母親は、「本当の自分」と調和していない。だから「愛」という言葉を使っていても、波動はまったく反対だ。

言葉を理解し始めた子どもがいちばん混乱するのは、親が使う言葉と波動が分裂している場合だ。親が言葉で何かを表現しているとき、本当はどう感じているか、それが子どもにとってはとても重要なのだ。そしてそれよりもっと重要なのは、親が子どもに何かを表現する前に自分の本当の感情（愛）と調和しようと努力しているかどうか、である。

関係を断ち切る努力はいつすべきか？

ジェリー　どうして人は苦しい人間関係にしがみつくことが多いんでしょうね？

エイブラハム　たいていの人は、たとえいい気分でない人間関係でも全然ないよりましだ、と信じている。だから、孤独よりは怒りのほうが、一人ぼっちの不安よりはいら立たしさのほうがましだろうと思って、関係を続けるのだよ。

ジェリー　どれくらいの不快感あるいは苦痛を味わったら、ネガティブな人間関係から離れるべきだと思われますか？

エイブラハム　不愉快な、あるいは好ましくないことから離れれば、もう嫌な思いをせずに済むからホッとするだろうし、もっと楽しいことを考えたり「より広い視点」と調和することも容易だと感じるだろう。だが、ネガティブな関係からいきなり離れて一時的にはホッとしても、その前に自分のなかの「源《ソース》」との調和ができていなければ、安堵感は長続きしない。引き寄せる次の人間関係もやっぱり前と同じようなものであることが多いはずだ。

もちろん、身体的な暴力や言葉の暴力を経験しているなら、できるだけ早く別れることを勧める。だが、暴力を受けたことを考え続け、それを別れる理由にし続ければ、虐待されたという気持ちは消えないだろう。

不快な思考に関心を向け続ければ、必ず自分のなかでその思考が活動し続ける。だから解決策や本当に望む人間関係と調和できない。要するに望ましくないことの証拠をあげつ

らっていたのでは、自分が望むところには行けないのだ。それは「法則」に反する。

現実には同じ人間関係にとどまっていても（別れなくても）、より望ましい面を活性化して、望ましくないほうの面を非活性化すると、人間関係が大きく改善して別れる必要もなくなり、びっくりすることがよくある。どんな場合でも前向きな面に関心を集中すればいっしょに暮らす相手の性格や行動が変わるというわけではない。だが、あなたの波動のなかで活性化されていないことは、何一つ経験のなかに現れはしない。

多くの人たちは、自分の波動のなかで好ましくないことが活性化するのはひとえに相手の行動のせいだ、と主張する。確かに感じのいい人たちに取り巻かれているほうがいい気分になりやすいだろうが、**自分の感情の責任が他人の行動にあるとは決していえない。なぜなら、周りの人の行動がどうであろうと、あなたには関心の対象を決める力、したがって引き寄せの力があるからだ。**

好ましくないことが目に入るたびにそこから逃げていたら、そのうち完全に自分を孤立させてしまうだろう。だが、好ましくないことが見えたときには、同時に自分が何を望むかもいっそう明確になると気づけば——そして新たに思いが強くなった望ましいことのほうへすぐに関心を向ければ——経験のなかのすべてがいいほうへと変化し続ける。

不快な人間関係から物理的に離れる代わりに、あるいは見ているだけで気分がよくなるように行動を変えろとパートナーに要求する代わりに、葛藤のたびに生まれる新しい願望のロケットに乗るようにすれば、物質世界のあなたの思考の波動パターンが変わり（新しい継続的な信念が生まれ）、「引き寄せの法則」によって波動パターンの変化に合った、今までとは違う経験が実現するだろう。**あなたの人生経験は継続的な波動パターン、つまり信念と一致する。これは常に変わらない真実だ。ネガティブなことを考えてネガティブな気持ちになるのが当然の理由があったとしても、やっぱりそれが引き寄せの作用点になる。人生で起こることはすべて、あなたが抱く信念、継続的な思考パターンを示している。**

今の状況に思考パターンを左右される必要はない、だから、あらゆることについての現状は変えられると気づくと、とても力強い気持ちになれる。今の人間関係から生まれた新しい願望と思考を調和させる努力をせずに別れることは、わたしたちは勧めない。調和ができていれば、現在の人間関係にとどまっても、新しい関係に移っても、あなたが望むとおりになるだろう。

Part 2

結婚と「引き寄せの法則」

完璧な配偶者を引き寄せる

なぜ配偶者が見つからないか？

ジェリー　わたしたち人間はカップルを作る、結婚するという考え方に、ほんの幼いころからひかれているようです。あなたがたはそれを「共同創造」とよんでいますが、でも多くの人が、というかほとんどの人がこの問題で悩んでいますね。ぴったりの相手が見つからないのではないか、それどころか全然相手が見つからないのではないかと心配している人も多いし、カップルになっていてもあんまり楽しくなさそうな人もたくさんいます。そこで相手が見つからない、そして見つけたいと思っている大勢のシングルや、配偶者がいても満足できない人たちには、どんなことを助言なさいますか？

エイブラハム　この物質世界の時空に焦点を結ぼうと決意したとき、あなたがたはほかの人と交流して共同創造しようと決めていた。楽しく前進するには拡大・成長のきっかけとなる多様な視点が不可欠だとわかっていたからだ。**ほかの人と交流し、多様な視点が混ざり合って新しい考え方が生まれることを知っていたし、そういう共同創造から新しい考え方や願望が生まれ、新しい考え方に個人的あるいは集団的に関心を向けるときの喜びが確実になると知っていた。**

楽しみたいと考え、楽しさは相手の行動に左右されるものではないことを思い出したとき——そして、いつもいい気分のすることに継続的に関心を向けようと心がけるとき——あらゆることに関するすべての願いがかなうだろう。だが、配偶者が見つからないと心配したり、いても不幸せだと思ったりして、いい気分ではない場所にいたのでは、いい人間関係を経験したいという願いはかなわない。願望とあなたの波動が一致していないからだ。

配偶者がいなくて見つけたいと思っていても、現在の配偶者との関係が不幸であっても、しなければならないことは同じだ。**自分の「内なる存在」が人間関係について抱いている考え方と調和する思考を発見しなくてはいけない。**

自分が出しているいちばん強い波動が、望む人間関係を経験していない、というものであれば、望む人間関係を経験できるはずがない。波動が違いすぎる。問題の波動が最も活発になっているときには、解決策は見つからない。

望む人間関係に焦点を絞る

つまり、今の人間関係ではなくて望む人間関係と一致する波動を出す方法を探さなくてはいけない。求める人間関係が「ない」こと、あるいは望ましくない人間関係が「ある」ことを無視しなければ、望む人間関係は実現しない。そこが肝心なところだ。今の人間関係ではなく望む人間関係の波動が圧倒的になるように仕向けなさい。それが継続的にできれば、望むことと将来の経験が結び付き、望みどおりの人生が送れる。言い換えれば、まず自分が望むことと継続的な思考との関係を整えなければ――「見えない世界の自分」と物質世界にいる自分との関係を整えなければ――ほかの関係も満足できるものにはならない。

誰かがあなたに関心を向け、あなたを評価したり肯定してくれたりすれば、あなたはとてもいい気分になる。あなたを評価した人自身が「より広い視点」に調和しているからだ。だからその人の関心の対象になると、あなたは「ソースエネルギーの視点」を浴びる。だが、相手がほかに関心を移せば、あるいは欠陥や過ちを見つけて調和を崩せば、他人の行動で支えてもらえなくなったあなたは、糸の切れた操り人形のような気持ちになるだろう。

人に評価され肯定されることは確かに気分がいいが、いい気分でいるために他人を頼ったのでは、いつもいい気分でいるわけにはいかない。あなたにだけ前向きの関心を注ぎ続ける能力や責任は誰にもないからだ。だが、あなたの「内なる存在」「源《ソース》」は例外なくいつでもあなたを評価し、肯定し続けている。だから、自分の思考と行動を「内なる存在」から流れ出る「幸福の波動」に調和させていれば、いつどんなときでも元気で幸せでいられる。

ほとんどの人は小さいときから、人生のどこかで配偶者を見つけるという期待を持っている。そして男性でも女性でも、愛する人と手に手を取って夕日に向かって歩く、といったロマンチックなイメージを抱いていたりする。だが、同時にそのような人間関係については、永続きのするまじめな人間関係を結ぶために自由や楽しみをあきらめて「身を固める」とか「年貢を納める」というような、どちらかというとネガティブな言い方をする場合が多い。それどころか、周囲の多くの人たちを観察して、配偶者との関係では喜びや満足や自由（これは「本当の自分」の基盤であり、人々が求めているものなのだが）を得られないどころか、どれも失ってしまう、と思ったりする。だから、配偶者との関係、あるいは永続的な人間関係にはとても大きな不協和音がつきまとう。ほとんどの人はいつかは誰かと連れ添うのだと期待しているが、そうなったら自由を失うと思うと、あまり楽しみにできない。

人生を分かち合う相手がいなければ、自分は「完全ではない」と感じるときもあるだろう。だが、そういう思いをベースに新しい人間関係を始めるのは感心しない。これもまた、「できない相談」の一例だ。言い換えれば、自分に不全感があって、「完全に」なるために誰かを探すと、「引き寄せの法則」の働きでやっぱり不全感を抱いている人と出会うことになる。**不全感を抱いている者どうしがいっしょになっても、自分が突然完全になったと思えるはずがない。本当にいい人間関係のベースは、それぞれが自分に明るくていい気分を抱いていることだ。そういう二人がいっしょになれば、本当に気分のいいカップルができる。**

誰かとの関係を頼りにして明るく元気な気分になろうとするのは、決していい考えではない。自分が感じているのとは違う何かを「引き寄せの法則」がもたらすことはあり得ないからだ。自分や自分の人生にいつも暗い気持ちでいながら、もっといい気分になりたくて誰かと関係を結んでも、決していい気分にはなれない。あなたが既にバランスのとれたいい気分でいなければ、「引き寄せの法則」はバランスのとれた幸せな人と引き合わせてはくれない。**あなたが何をしようと何を言おうと、どんな人が引き寄せられるかは、あなた自身が全体的にどんな人間かで決まる。あなた自身に合った人が引き寄せられてくるのだ。そして、誰にしろ何かを望む理由は一つしかない。それが得られれば明るくていい気**

分になると信じているから望む。わたしたちが理解してほしいのは、明るくていい気分になれるものを手に入れたいと思ったら、その前に明るくていい気分になっていなくてはならない、ということだ。

ある女性は、まず幸せになって、それから配偶者を求めなさい、と言われたことがおもしろくなかったらしく、こう言った。「たとえ配偶者がいなくても、もうここにいると想像して幸せになれ、って言うんですね。わたしが配偶者を見つけられるかどうかなんて、あなたがたにはどうでもいいんだわ」。ある意味では彼女の言うとおりだ。彼女がいつも幸せでいられるなら、望みがかなう（それが「法則」）だけでなく、望みがかなうまでの間もやっぱり幸せなはずだから。

わたしたちがおもしろいと思うのは、成功するためには幸せという大きな代償を払わなくてはならないと言う人がときどきいることだ。しかしわたしたちは、人が成功したがるのは成功すればもっと幸せになれると思っているからだと知っているので、よけいにおもしろいと感じる。

自分の幸せは他人とは関係ない、自分が意図的に何に焦点を置くかで自分の幸せは決まる、と気づけば、あなたがたはようやく最大の念願である自由を見つけられるはずだ。そしてそこが理解できれば、かつて望んだこともこれから望むこともすべて実現するだろう。

自分の気持ちをコントロールすることは——物事に対する反応や人に対する反応、状況に対する反応をコントロールすることは——いつも幸せでいられる鍵であるだけでなく、望むすべてを実現する鍵でもある。これはぜひとも練習して身につける価値がある。

簡単に言えば、あなたが自分に、あるいは自分の人生に幸せを感じていなければ、パートナーを引き寄せても不満が増大するだけだろう。欠落という場から起こす行動は常に非生産的だからだ。

今、配偶者がいないなら、まず自分自身との調和を実現させるのに完璧な立場にいることになる。そのうえでパートナーを引き寄せれば、その人はきっとあなた自身の感じ方を増幅してくれるだろう。だが、あまり楽しくない人間関係の真っただなかにいても、満足できる人間関係に向かって動き始めることは可能だ。今どこにいようとも必ず行きたいところに行くことができる。

人はよく、自分自身に明るくていい気持ちを抱いていないのに、すぐに配偶者を見つけたいと焦る。それどころか、配偶者が見つかれば自分自身ももっといい気持ちになれるだろうと思い込む。だが、あなた自身が自分を高く評価していなければ、あなたを高く評価してくれる人は引き寄せられてこない。それは「法則」に反する。

だから、配偶者が欲しくても今はいないとしたら、配偶者がいないことはあまり気にせず、ほかの面で今の人生の前向きないいところに目を向け、明るくていい気分になるように心がけよう。今の人生のいいところをリストアップし、自分にはこんなにいいところがあると高く評価して、人生を最大限、楽しもう。配偶者がいないという暗い気分を捨て、本当に自分を好きになれば、必ず配偶者は見つかる。わたしたちが約束する。それもまた「法則」だから。

今、心地よくない人間関係を経験しているとしたら、まずその関係のネガティブな側面から意識を引き離す方法を見つけなくてはならない。一人ぼっちで配偶者を欲しがっているほうがつらいという人もいれば、気の合わない配偶者といるほうがつらいと不満を言う人もいる。だが、わたしたちが理解してほしいのは、今どんな立場にあるか何を経験しているかは実はどうでもいい、ということだ。

どこにいようと、あなたは行きたいところに行くことができる。ただし、今の自分の居場所で気に入らないことを注視したり不満を言ったりして時間を費やすのはやめなくてはいけない。もっと選択的に生きて、人生のいい面をリストアップしよう。自分が行きたいほうに目を向け、現状への不満に時間を費やさないこと。宇宙はあなたが現状について考えていることともっといい人生について考えていることを区別しない。あなたは思考によって創造しているのだから、自分が望まないことをくよくよ考えたり、思い出したり、眺めたり、あるいは口にしたりしてもいいことは何一つない。自分が望むことの波動を活性化すれば、その波動に一致した人生がたちまち実現することに気づいてほしい。

不調和な関係をたくさん見てきたのだが

ジェリー　子どものころ、たくさんの人間関係を見ましたが、幸せな関係が記憶にありません。ほとんどの人たちは耐え忍んでいましたね。がんばって生きてはいたけれど、楽しそうではなかった。わたしが見てきた人たちの大半は人間関係で一種の「静かな絶望」を経験していた、と言えばいいでしょうか。あんまり不満は聞きませんでしたが、でも楽しそうでもありませんでしたよ。

エイブラハム　あなたが子どものころ周りにいたのはちっとも楽しくない大人ばかりだったと言うが、それは今の子どもたちでも同じだろうね。それに両親が自分の従業員やほかの要素、政府、隣人などを褒めたり評価したりせず、不満ばかり言うのを見聞きして育つ子どもたちもとても多いだろう。

ほとんどの子どもの親は、いつも周りを評価し感謝して本当の自分と調和しているわけではない。だから子どもたちは、他人との関係について不健全な思考パターンや信念を抱いてしまう。だが、物質世界で育つ道筋で不満だらけの大人を見て身につけた不健全な信念の下には、「つながること」や愛、調和に対する力強い願望が依然として脈打っている。言い換えれば、あなたと同じように本当に幸せな人間関係をほとんど見たことがない子どもでも、たいてい自分は幸せな人間関係を見つけられるという希望を持っているものだ。

理解してほしいのは、たとえ知っている誰もが不幸せな人間関係を経験していても、あなたがたは調和のとれた人間関係が可能だと心の底では知っている、ということだ。それどころか、人間関係で不快なことが起こるたびに、同じくらい強い願望が生まれる。**不快な人間関係を経験すればするほど、それと対比して自分が望む人間関係が具体的になっていく。**

人間関係がどうしてそんな大問題なのか、なぜ大勢の人たちが人間関係をよくしたいと願いつつ、途方に暮れてしまうのか。それは、望まないことを経験すればするほど願望が強くなるのに、望まないことに目を向けているので望みがかなうほうへ前進できないからだ。自分で気づかずに自分の足を引っ張り、拡大・成長を願いながら自分で自分を引き止めている。

とても簡単なことを一つ理解すると、すべての人間関係で調和が実現する。**誰が何をし**

ようとわたしは幸せになれる。自分の思考の方向を定める力を発揮すれば、自分の「幸せの源《ソース》」と波動が一致するから、ほかの人が何をしようと自分は幸せでいられる、ということだ。

人間関係が長続きしなかったら？

ジェリー　わたしの人生は旅の連続で、たいていはシングルでした。だから、たくさんの人間関係を経験しました。人間関係って始めるのは簡単でも、終わらせるのは難しいんですよね。それにわたしたちの社会にも、どちらかといえば人間関係に入るのは簡単だけど抜け出すのは難しい、という傾向がありますね。人間関係を解消したり、財産を分割するなどというときには、どうしても怒りや暴力、復讐心などがつきまといがちです。

見ていると、人間関係がうまくいかず、解消しようとするとますますひどいことになるという場合が多い気がします。それもあって、わたしたちはつい人間関係に対して身構えたり、ネガティブな予想をするんじゃないでしょうか？

エイブラハム　あなたの言葉を聞いていると、人間関係を結んでもろくなことはないようだね。「人間関係を続ければ不幸になることが多い。人間関係を解消しようとすると、事態はますますひどくなる」というのだから。今のあなたの質問から感じられるいちばん重要なことは、ほとんどの人が人間関係についてネガティブな信念を抱きつつ人間関係を結んでいるが、その信念（あるいは継続的な思考）では幸せな人間関係を築けるはずはない、ということだ。

あなたがたは心の底では調和のとれた人間関係を望んでいるが、あなたがたの存在そのものにはそれよりもっと強力で根強い傾向というかベースがある。それは自由への願望だ。さらに自由への願望のベースには「いい気分でいたい」という願望がある。この「いい気分でいたい」という願望のベースになるのが、あなたと「見えない世界のあなた」の曇りのない関係だ。

あなたがたは、どんな理由であってもいい気分になれないときには何かが間違っているとわかるし、不調和の理由をはっきりさせたいと本能的に思う。そして、いい気分になれない理由を、そのときいっしょにいる人やつきあっている人と関連づけることが多い。だから、いい気分になれず、調和していないとわかると、相手がする気になることとやできることとは違うことをさせようと考える。ところが、相手の態度を変えようとしてもその力が自分にはないから、自由だと感じられない。そこで「本当の自分」のベースにあるいちばん重要な願望が妨げられ、関係が破綻する。

あなたがたに理解してほしいのは、そういう関係はそもそも間違った思い込みから始まっている、ということだ。誰だって、そういつもいつもあなたのバランスを維持するように行動できるはずはない。バランスを維持するのはあなた自身の仕事だ。いい気分になれないとき、自分をいい気分にする責任は誰にもないと認められれば、自分の楽しさを維持するのに不可欠な自由を見いだすことができる。そうでないと、次から次へと不満な関係ばかりが続くだろう。

あなたがたのなかでは「本当の自分」が力強く脈打っていて、いつでも満たされる人間関係を求め続けている。他人との関係がどれほどの喜びをはらんでいるか、心の奥の深いレベルでわかっているからだ。そして、自分の幸せは誰の意志や考えや行動とも関係なく、ただ自分が調和しているかどうかで決まるし、その調和は自分で完璧にコントロールできると思い定めれば、人間関係の不快さが消えるだけでなく、深く満ち足りた関係が実現するだろう。

「源《ソース》との結び付き」がないと不安が生じる。その不安を、人はよく他人との関係で解消しようとする。だが誰かがいくらあなたに関心を注いでくれても、あなたに必要な「結び付き」を支え続けることはできない。多くの人間関係は最初はとてもいい気分で始まる。お互いに関心を集中するからだが、時がたつにつれて自然に人生のほかのことにも関心が戻っていく。不安を解消しようとして他人の関心に寄りかかっていれば、相手の関心が薄れると不安が甦る。

それぞれが努力して自分自身の「源《ソース》との結び付き」を維持しているとき、いつもいい気分でいられる関係ができる。その結び付きに代わるものは何もない。あなたの「源《ソース》」との調和の欠如を埋められるほどにあなたを愛せる人は誰もいない。

エイブラハムとの関係がこれほど素晴らしいのは？

ジェリー　パートナーとの関係や結婚にはいろいろな形があり、いろいろな理由があることも知っています。便宜的な結婚もあれば、お膳立てされた結婚もある。肉体的な魅力や性欲に動かされ、感情が激しく爆発した結果としての結婚もありますね。それから一人ぼっちでいたくないというだけで配偶者を見つける人もいます。

ところでエイブラハム、わたしはあなたがたと絶対的に完璧な関係ができたと考えています。今、物質世界の身体に宿っている者どうしでも、こういう関係になることは可能でしょうか？　言い換えれば、具体的な細かいことは抜きにして物質的存在のエッセンスと触れ合い、わたしがあなたがたに感じているような相互に調和した関係を作ることはできますか？

エイブラハム　これ以上ないほど、この対話にぴったりの質問だね。あなたが今「エイブラハム」と呼んでいる者との関係として言ったのは、実はわたしたちが今まで説明してきた、あなたと「見えない世界のあなた」との調和のことなのだよ。

あなたがわたしたちを高く評価しているのは、わたしたちがあなたを喜ばせるように振る舞っているからではない。わたしたちを評価しない、あるいはわたしたちと調和しない人たちもたくさんいる。わたしたちが何もしてくれないと気づいて、おもしろくないと思う人たちもいる（そういう人たちは、何かが足りないとか欠けていると感じて、奇跡を起こしてくれ、助けてくれと頼むが、そうはいかないからだ）。また、わたしたちがどういう存在であるか、何を望んでいるかを非常にはっきりさせるので――妥協もしないので――不満な人たちもいる。わたしたちはこの瞬間に何かを頼みたがる誰かの気まぐれな望みを満たすために――すべての生涯をかけて確立してきた――自分たちの意図を棚上げにしたりはしない。この瞬間にあなたがたを喜ばせるために、存在する「宇宙の法則」がないふりもしない。それにわたしたちとの交流のなかで、わたしたちのなかのネガティブな側面を見つける人もたくさんいるのだよ。そんな人たちはないものねだりをするので、わたしたちとの関係に満足しない。

あなたがわたしたちと完璧な関係ができたと感じるのは、わたしたちのなかで「本当の自分」と共鳴する部分に関心を集中しているからだ。そしてあなたがたは、どんな人に関心を向ける場合でも同じことをする力を持っている。わたしたちとの関係が完璧だと感じるのは、わたしたちがあなたに投げかける何かではなく、あなたの関心のあり方のおかげなのだ。

誰かと交流するときは、いつでも相手の肯定的な側面を探すこと。それが自分の利益になる。望むことの波動を活性化させると、望むことがますますあなたの経験のなかに流れ込んでくる。**相手の肯定的な側面を探し出す方法がわかれば——そして相手に肯定的な側面を期待するようになれば——前向きないいことだけを経験できるよ。**

ジェリー　すると、あなたがたとわたしとの関係は、わたしの側から見ると一種の自己愛なんですか？

エイブラハム　そうそう、そのとおり。わたしたちを高く評価することで、あなたは「本当の自分」と調和している。愛とはそういうことだからね。「源《ソース》」との調和、自己との調和、愛との調和だよ。

ジェリー　言い換えると、人生に対する願望をもとにわたしはあなたがたを引き寄せた、あるいはあなたがたから自分を満たすものを引き寄せた、ということですか？　それは相互依存の形の一つと言えるのでしょうか？

エイブラハム　「依存」というのは、「わたしは自分だけでは完全ではない」から「完全になるためには誰かを必要とする」ということだね。あなたとわたしたちの関係はそういうものではない。だが今の質問は、いい関係というものについてのとても重要な思い込みというかベースを指摘している。人が一人では不安だから支えてくれるつれあいを求めるとき、その関係は決して安定しない。土台がぐらついているからだ。だがそれぞれが安定し、自分の「内なる存在」と調和していて、そういう二人がいっしょになれば、その関係は土台がしっかりしている。言い換えれば、どちらも相手の力をあてにしていない。「源《ソース》」から力を得ているから、安定した基盤の上に立って交流し、共同創造ができる。

何かに前向きな関心を注ぐ複数の心が集まれば、１＋１よりもはるかに力強い結果が出

る。だから、引き寄せられるアイデアや解決策は、二人のそれぞれを足し合わせたよりももっと大きくなる。これは実に素晴らしいことだ。そして、それが本当の共同創造というものなんだよ。

生産的な共同創造が可能になるためには、集まった個々の創造者のそれぞれが既に前向きな引き寄せを行っていなくてはいけない。そうでないと共同創造から前向きなことは生まれない。ネガティブな関心の持ち方をして、いい気分でいなかったら、同じようにネガティブな引き寄せをしている人しか引き寄せられてこない。だから不安な場から、あるいは何かが欠落している場から配偶者を探しても、本当に望む配偶者は現れず、現状の欠落を増幅するような人たちが引き寄せられてくる。

人はよく、自分が楽しくないのは配偶者がいないためだと勘違いする。だから、配偶者を見つけても不満が消えないどころか大きくなるのはなぜか、理解できない。パートナーを見つけたり同棲や結婚をしたりしても、「本当の自分」と波動が一致していないために生じるむなしさは埋められない。だが、まずその調和を果たしてから行動すれば、共同創造は実に素晴らしいものになり得る。言い換えれば、不調和を解消するために行動してはいけない。まず不調和を解消して、それから行動してパートナーを見つけることだ。

ソウルメイトの心は美しい？

ジェリー　よく「ソウルメイト」という言葉を聞きます。非常に前向きな考え方をしている二人が互いに引き寄せあう、それが「ソウルメイト」というものでしょうか？

エイブラハム　「ソウルメイト」を見つけたいという人はたいてい、いっしょになるように定められた特別な人がいる――この時空で物質社会の身体に宿る前から魂の結び付きがある――と考えている。確かにあなたがたは特別な共同創造のために誰かと出会いたい（そういう関係を再発見すると、素晴らしく満たされるから）と考えていたが、そのような物質社会での出会いを調和の「源《ソース》」にするつもりはなかった。そうではなくて、まず一貫した調和を実現しようと思っていた。そうすれば、そういう出会いを引き寄せられるとわかっていたからだ。

「見えない世界」で結び付いていた人を前にしても、自分自身の「源《ソース》」と断絶していたら、相手に気づかないかもしれない。とてつもない不安や違和感を感じる人が、実は「ソウルメイト」かもしれない。だが「本当の自分」と調和していないので、「ソウルメイト」に気づかない。
「ソウルメイト」を考えるうえでいちばんいいのは、自分のなかの純粋で前向きな「魂の波動」「源《ソース》」との調和を図ることだ。そうすれば、もともと見つけたいと思っていた素晴らしい出会いのチャンスがめぐってくると、必ず気づく。高く評価できることを見つけようと心がけるだけで、いつでも自分の「源《ソース》」と調和できるし、おびただしい関係で「ソウルメイト」たちを引き寄せるのに完璧な位置に立てる。

物質世界の今の身体に宿るのは初めてだったとしても、実はあなたがたは非常に古い「存在」で、とてつもない数の人生を経験しており、そのすべての人生経験を通じて力強い結論を出していることを忘れないように。あなたがたの「内なる存在」は、そのすべての結論を今知っている。そして「内なる存在」と調和することで、あなたがたもまたその知識にアクセスできる。それが少しでも欠けていればバランスが崩れ、あなたがたはいい気分にはなれない。

いい気分になることがいちばん大切

ジェリー　それでは学校を出て、人生の門口に立ち、最初の、あるいは何人かのパートナーのうちの一人を探そうとしている若者たちには何を言いたいと思われますか？　人間関係について、どんな助言をなさいますか？

エイブラハム　第一に、自分がいい気分になる以上に大切なことはないと気づいてほしい。いい気分でないなら、今「そうなっている」自分のすべてと調和していないということだし、その調和がなければいつも欠落感を抱き続けるからだ。

次に、いつもいい気分になろうと心がけなさい、と言いたい。なんらかの理由でいい気分になれなかったら、なんとかしてもっといい気分になることを探して、前の対象から関心を引き離してほしい。

・例えば不愉快な人間関係を目の当たりにし、不幸なカップルのネガティブな会話を聞いたとする。調和への願望や具体的ないい人間関係への願望のせいで、あなたは（会話を聞き）その不快な経験に巻き込まれたのだが、あなたのなかで生じるネガティブな感情は、ここに関心を集中してもいいことはないという信号だ。あなたがいい気分になりたいと積極的に思っていれば、すぐにその会話が聞こえないところへ移動するだろう。もっと

いい気分になる別の対象に意図的に関心を向けるはずだ

それから、創造というものは内から外へと行われることを思い出してほしい。言い換えれば、あなたの思考や感じ方が引き寄せの中心にある。いい気分になることを外に探すより、いい気分になろうとまず決めて、それから外側でいい気分になることを引き寄せるほうがずっと簡単なのだ。

また、行動に飛びつく前に時間をかけて関心を集中する相手を選ぶことを勧めたい。自分が望まないことに関心を集中しながら行動すれば、望まないことがさらに引き寄せられてくるだけだ。だが、望むことにしっかり関心を集中し、それから行動すれば、その行動が願望をさらに強固にしてくれる。

こんなことも助言したいね。

いろな変化から成り立っている。しょっちゅう立ち止まって、いい気分になの「内なる存在」「源《ソース》」と調和していよう、と再確認するといい

日のなかで何が起こっても、いい気分になりたいという願望を最優先させること。それから、「結び付き」を作っていい気分になるかどうかは自分しだいだ、その大切な「結び付き」を作る責任や能力はほかの誰にもない、とたびたび自分に言い聞かせよう

・他人との関係は自分が調和を達成する手段ではなく、既に達成している調和を強化するだけだと考えよう

・一人ひとりが「源《ソース》」に関心を集中し、いつも自分自身を愛していられるようにすること。まず自分を愛してくれと相手に要求してはいけない。そんなことは不可能だ

あなたのいちばん優勢な思考があらゆるものを引き寄せるのだし、あなたが提示する行動の奥にあるのもその思考だ。自分の「源《ソース》」と調和した気分のいい思考を心がけていれば、いつでもいい気分で行動できるだろう。調和していない思考の欠陥を埋め合わせる行動はあり得ないが、調和した思考から発する行動はいつでも心地よく楽しい。

望むのはあの人ではない誰か

ジェリー　それでは、自分ではいい気分でいるようだし、いつも配偶者を見つけたいと言っているけれど、いろんな男性と出会うたびに、この人はダメ、あの人もダメと言い続けている女性には、どんな助言をなさいますか？

エイブラハム　その女性の場合、願望のおかげで男性たちと次々に出会うのだが、まずい人間関係についての信念があるために、相手を押しのけてしまう。そして、好ましくない性格に関心を向けているので、自分が望む性格の相手を引き寄せられないのだよ。

男性と出会うたびに、自分が好ましくないと思う面に関心を集中していたら、他人の欠落への関心のせいで「本当の自分」との調和が実現しない。そんな状況では自分についても誰についてもいい気分にはなれないね。

他人に欠落ばかり見つけていたら、自分にも好きになれるところを見つけられない。**前向きないい面を見つけるように自分を訓練していれば、他人だけでなく自分にも前向きないい面を見つけるだろう。ネガティブな面を見つけるように自分を訓練していたら、他人**

だけでなく自分にもネガティブな面が見えてしまう。だから、他人を批判する人は本当は自分が好きじゃない、というのはいつでも正しい。他人を批判するけれど自分は好き、というのは「法則」に反する。他人にひどく批判的な人を見たら、自分自身も好きではない人だと思ってかまわない。

ときどき偉そうな態度をとる人がいる。そういう人は本当に自分が好きなんだろうと思うかもしれない。だが、偉そうな態度は、自分の不安や調和の欠如をごまかすためであることが多い。本当に自分が好きなら、自分の「源《ソース》」と調和しているから、自然に他人に対しても前向きな高い評価ができる。そうすれば次々に素晴らしいことが起こるだろう。

自分の「源《ソース》」と調和していれば、「引き寄せの法則」によってやっぱり自分の「源《ソース》」と調和している人に出会うし、その出会いから生まれる関係はきっと満たされた楽しいものになる。だが、自分が調和していなくて暗い嫌な気分でいれば、「引き寄せの法則」によってやっぱり暗い嫌な気分でいる人と出会うし、そこでできる関係は不愉快で心地よくない。

あなたがたはほかの人と共同創造することを願っているが、まず自分自身の調和がとれていなければ、ほかの人との共同創造はその不調和を増幅するだけだ。ほかの人との交流は、あなたがたの星である地球と「すべてであるもの」の拡大・成長に計り知れない貢献をするが、それでもほとんどの人たちは周りの人たちの好ましくない側面に関心を向けているために、共同創造の喜びを味わえないでいる。言い換えれば、あなたがたはだいたいお互いの最善の面よりも最悪の面に関心を集中している。それはなぜかといえば、いっしょになる前にしっかりした自分の足場を見つけていないからだ。だから、いっしょになっても、それぞれの不調和はそのまま続いていく。

人間関係と「肯定的な側面のリスト作り」

今は望むような人間関係を経験していなくても、あるいはあまりうれしくない人間関係の真っただなかにいても、人間関係で自分が望む方向に進むのにいちばん効果があるのは、自分と関係がある人たちのいい面を書き出すノートを作って、毎日記入することだ。

周りの人たち、過去に出会った人たち、それに自分自身のいい面を拾い出してリストを作ろう。そうすれば調和のとれた思考のパワーと「引き寄せの法則」の相乗効果が短期間で目に見えて感じられるはずだ。他人の行動をコントロールしようというむなしい努力は全部捨て、前向きな思考に関心を集中すると、夢見ていた素晴らしい人間関係が見つかるだろう。

あなたがたは思考し波動を出して経験を引き寄せている。あなたがたの人生のすべてを

決定しているのは思考だ。地球という星を分かち合っている人たちの性格や行動のいい面に関心を注げば、引き寄せの作用点をあなたの望む方向に向けることになる。

望むような人間関係は可能になる。たぶんそうなるのではなく、確実に実現する。だが「実生活」ではっきりと見て触れられる形でその人間関係を経験するためには、思考の波動の周波数を望む人間関係の周波数と一致させなくてはならない。思考のパワーはあなたの人生にどんな人が引き寄せられてくるかを決めるだけでなく、その人たちがどんな行動をするかも決定する。

わたしは波動で引き寄せている

ジェリー　わたしの経験では、人は関係を持ちたいと願ってくれる人とは関係を持ちたがらないというのが一般的なパターンのようです。男の子たちは誰でも自分を好きになってくれない女の子に関心があり、女の子のほうもみんな、自分を好きになってくれない男の子とつきあいたがるのではありませんか。

エイブラハム　あなたのその観察で肝心なのは、彼らが経験のなかのコントラストを通じて自分が何を望むかをさらに明確にしている、ということだ。そのどちらかというとありふれたシナリオは、ほとんどの人が自分は「完璧な相手」を探していると信じ、不完全なものは全部排除しなければならないと思い込んでいるせいだ。何を望まないかを明確にして、その望まない性格のリストを後生大事に抱え、せっせと仕分けを続けていれば、いつかは「完璧な相手」にたどりつけると思っている。だが「引き寄せの法則」によれば、そうはいかない。

パートナーを求めるときに出している波動に圧倒的な割合を占めているのが相手に望まないことであれば、「引き寄せの法則」によって望ましくないパートナーが次から次へと現れるだろう。望ましいことを実現しようと思うなら、今の人間関係の前向きないい面に思考を向けるように自分を訓練しなくてはいけない。

長年にわたってさまざまな人間関係を経験するなかで、パートナーとして望ましくないと思ういろいろな性格がはっきりしてくるだろう。何か経験するたびに、自分が何を望まないかが明確になり、代わりに望ましいものを求める波動が放出される。自分自身の人間関係だけでなく、目に入るほかの人たちの人間関係も含めたすべての経験を通して、「完璧な相手」の波動バージョンが出来上がる。そのバージョンにしっかりと関心を注ぎ続けていれば、「引き寄せの法則」によってバージョンに合った人だけが引き寄せられる。だが望ましくない性格に関心を集中し続けていたら、望む相手には近づけない。

本当に望む人間関係を実現する最短コースは、今いる場所で（一時的な関係を結んでいるかもしれないし、今は誰ともつきあっていないかもしれないが）高く評価できるいいことを見つけることだ。こう説明すると抵抗する人たちがよくいるが、それは現状を評価してこれがいいと言ってしまうと、そこに釘付けになってしまう、と思っているからだ。だが法則はそんなふうには働かない。

現状の前向きないい面を探し出せば、現状を活用して自分の「波動の預託口座」「本当の自分」、自分の「内なる存在」、自分が本当に望むすべてと波動が一致する。今いるところでいい気分になること、それが状況をもっともっとよくするいちばんの近道なのだ。だが、今の状況の欠点ばかりを見ていればネガティブな気持ちになる。そのネガティブな気持ちは、今の思考と波動があなたを「波動の預託口座」「本当の自分」、自分の「内なる存在」、本当に望むすべてから遠ざけているという信号だ。

なぜ「隣の芝生はいつもうちのよりも青々として見える」かと言えば、「うちの芝生」について不満を言う癖が多くの人たちに染みついているからなのだよ。

人が配偶者を選んでくれる場合は？

ジェリー　結婚やパートナーについての文化的な側面についてもご意見をうかがいたいと思います。親や共同体の年長者が子どもの配偶者を選ぶ社会もたくさんありますね。それからわたしたちの社会のように、ロマンチックな愛を信じて恋愛し、恋に落ちた相手を配偶者として選ぶところもあります。

エイブラハム　もちろんあなたがたとしては、配偶者は――ほかのことでも――自分で選ぶほうが気分がいいし、そのほうが正しいと感じるだろうね。だが、自由に配偶者を選んでいると思っているあなたがたの社会や習慣のなかでも、やっぱり周りの人たちの信念に相当に縛られている。言い換えれば、自由を求める社会でも、親が反対する相手や宗教や文化が違う相手と結婚する人たちはそう多くはない。だが、あなたがたの社会のほうが自由裁量の余地が大きいことは確かだね。

しかし、配偶者の「選択」については、考えてほしいもっと重要なことがある。あなたがたは言葉で選択するのではなく、出している波動で選択する。だから、自分では気づかずに、本当に望んでいるのとは正反対の「選択」をすることがある。例えば、人はガンを「選択」する——ガンを経験したいから「選択」するのではなくて、本来の自分の「よい《ウェル》・あり方《ビーイング》」を妨げるような、抵抗のある思考に関心を向けることで選択する。同じように、人は望まないこと、あるいは望むことが欠けていることにいつも関心を集中することによって、好ましくないパートナーを選択する。言い換えれば、しょっちゅう孤独を感じる人は、強く望む何かの欠落を「選択」している人だ。

完璧な配偶者を発見するか、生み出すか、自分が完璧な配偶者になるか？

ジェリー　「完璧な配偶者」を見つけるには、どうすればいいのでしょうか？

エイブラハム　あなたの言う「完璧な配偶者」を見つけるには、まずあなたが完璧な配偶者にならなければならない。言い換えれば、望む配偶者と一致する波動の信号をいつも出していなければならない。完璧とはいえない関係を見たり経験したりすることは、自分が望む関係はどんなものかを決定し、細かく調整する素晴らしい機会になる。願望と一致する波動を出すには、望ましい関係について考えているだけでいい。

人間関係の望まない面を指摘したり、過去の関係の不快な出来事を思い出していると、あるいはお互いに間違った態度をとる人たちを描いた映画を見るだけでも、あなたの波動は知らず知らずのうちに望ましい関係から離れてしまう。それでは望ましい関係を実現しようとしても、できない相談になる。

人間関係について考えるたびに寂しくなったり、怒りや失望を感じていたら、夢見る人間関係を実現することはできない。だが、自分や他人の高く評価できるいい面を探して――過去や今の関係の肯定的な側面のリストを作って――いれば、あなたが出す波動は願望の波動と一致し、きっと「完璧な配偶者」が現れる。それが「法則」だから。

配偶者を求めるのか、必要とするのか？

（以下は、ワークショップ参加者から出た質問の一部）

質問者　聞いていると、誰かを求めるとかえって相手を押しやってしまい、求めないと相手が近寄ってくれるようです。どうして、そうなるのですか？

エイブラハム　誰かを求めているとき、その人の不在が思考のなかで圧倒的な場所を占めていれば、活性化された波動はその人を遠ざけてしまう。逆に、望まない相手が自分を追っていることが思考のなかで圧倒的な場所を占めていれば、その人が引き寄せられてくる。**望むか望まないかに関係なく、思考の対象のエッセンスが実現するのだから。**

質問者　それは望むのか、必要だと思うのか、という違いと同じでしょうか？

エイブラハム　そう、それはいい考え方だ。あなたがたが何かを望み、それが実現したらどんなに素晴らしいだろうと考えれば、思考の波動が本当の願望と一致しているから、いい気分になる。だが何かを望んでも、実現していない、今は不在だ、欠けていると考えていたら、思考の波動は本当の願望と一致しないから、暗い嫌な気分になってしまう。

望むことと必要とすること、これは言葉が違うだけではない。純粋に願って求めている状態では、思考の波動が「波動の現実」と一致しているから、いつでもいい気分だ。だが必要としている状態では、願望の対象の不在と波動が一致しているので、「波動の現実」とも合わないし、暗い嫌な気分になる。

「文句の多い」人間といても前向きになれるか？

質問者　配偶者が欠落に圧倒的な関心を注いで、前向きになる努力をしないとき、自分が前向きに関心を注ぎ続けるにはどうすればいいですか？　配偶者の不満に影響されないでいるのは、とても難しいのですが。

エイブラハム　いい気分になることを見たり聞いたりしているほうが簡単にいい気分になれるのは確かだ。だがどんな状況であっても、親しい人がいい気分でいなくても、自分にはいい気分になる力があることがわかれば、とても自由な解放された気持ちになるだろう。

あなたは、いっしょにいる相手を変えようと行動するより、自分の心の方向を決めるほうがはるかに容易だと気づくはずだ。たとえ変えなくてはならない相手がたった一人しかいなくても、相手を思うとおりに変えることは不可能だ。もちろん、あなたがたが感情的に反応する相手は一人ではなくてたくさんいる。**自分が明るいことに思考を向けられるようになれば、不愉快な人たち**（あるいは人々の不愉快な面）**はあなたの経験から消えていく。好ましくないことに関心を向けているから、好ましくないことを経験するのだよ。**

こう言われると、初めは反論する人たちがいる。そういう人たちは、ネガティブなことが起こるのは誰かが押し付けてくるからだ、と信じている。「乱暴な夫がわたしの経験のなかに侵入してくる」というように。だが理解してほしいのだが、関心の焦点を定めるパワーを使ってネガティブなことや乱暴されることから関心を引き離し、もっと前向きな方向に向ければ、ネガティブなことや乱暴は経験から消えていく。**経験のなかのどんなネガティブな側面もすべて自分が関心を向けて誘い込むから存在し続ける、とわかれば、きっと大きな力がわいてくる。**

ネガティブな状況のなかで前向きな考え方をすることは、確かに容易ではないだろう。特に初めのうちはそうだ。自分の思考を方向づける努力を始めるのにいちばんいい時間は、ネガティブな状況の真っただなかにいるときではない。それよりも、一人でいるときにいい気分になることを考えるほうが簡単だ。**相手のことを考えて楽にいい気分になれたころを思い出してみよう。スタート地点としてそれが思い出せなければ、全然別のことを考えればいい。ネガティブなことを考える癖をやめて前向きなことを考えるために必要なのは、自分の思考が自分の現実を創造している、とまず認めることだ。次に、自分には思考を方向づける力があると認めなくてはいけない。そのあとに必要なのは、前向きなことを考えるパターンがしっかりと根づくまで、いい気分になることに思考を向けようという意志だ。**

意図的に思考を方向づけるプロセスが始まると、「引き寄せの法則」によってすぐに明るい思考の効果が現れる。これは、とてもワクワクすることの一つだ。古いパターンを壊すのは難しいだろうし、ときどきは後戻りしてしまうかもしれないが、それでも努力した証拠は自分ではっきりとわかる。さほどたたないうちに――ネガティブな会話を避けようと努力したり、相手にもっといい態度をとらせようと苦労するよりもずっと簡単に――すべての人間関係がいいほうへ向かうだろう。

人間関係を変えるための就寝時のちょっとしたエクササイズ

ベッドに入ったら寝る前に、過去や現在、あるいは予想する将来でいい気分になれそうなことを考えよう。そうすると、朝目覚めるときの波動が整う。目が覚めたら前の晩に考えていたことを思い出して、もう一度明るい思考の流れを確立しよう。このちょっとした習慣で、その日あなたが出会うすべての人たちの反応が変化するはずだ。このエクササイズを毎晩、そして毎朝続けると、新しいパターンが生まれて、人間関係は一変するだろう。

人間関係に何を期待しているか？

あなたがたには、自分が望む関係をほかの人から引き出す力がある。だが現状に関心を向けていたのでは、新しいもっといい状況に到達することはできない。宇宙も、それに物質世界と見えない世界のすべての参加者も、あなたが出す波動に応えている。そしてあなたが何かを見ながら出す波動と想像しながら出す波動を区別しない。**思いどおりの人生を想像すれば、あらゆる協力的な要素が集まってくる。もっと大事なのは、集まってきた要素がさらに協力しあうことだ。それが「法則」だから。**

あなたがたには自分が求める自由や成長や喜びと調和した関係をほかの人から引き出す力がある。どの人にも同じ可能性が秘められているからだ。それぞれの人のなかにとても理解力のある人が──そうでない人も──いる可能性がある。とても感じのよい人が──そうでない人も──いる可能性がある。とても開放的な心の人が──そうでない人も──いる可能性がある。とても前向きな人が──とてもネガティブな人も──いる可能性がある。**ほかの人との経験はあなたが引き出すものなのだ。**

誰かといるときに自分でも思いもよらなかった行動をした、という経験はないだろうか？　そんな行動はふいに自分のなかから出てくる。他人の期待が生んだ影響力というパワーのせいだ。いっしょにいる大人によって子どもの態度が変わることに気づいたことはないか？　ある人といるとよく言うことをきく明るい子どもなのに、別の人だと強情で気難しかったりする。それは相手の期待が生んだ影響力というパワーが働くからだ。

自分の「より広い視点」といつも調和するように心がければ、世界を創造するエネルギーを引き出して利用することができる。そうするとうれしいことに、周りの人たちから前向きな反応が返ってくるだろう。これからは関係を結んでいる相手を責めてはいけない。そうではなく、自分の経験は自分が引き寄せていると肝に銘じよう。そこを理解することから自由が生まれる。

物質社会に焦点を結んでいる自分と「内なる存在」の「より広い視点」との関係を整え、いい気分のする「源《ソース》」の思考に自分を合わせるように心がけて、「本当の自分」と調和し、自分自身を愛することを学べば、あなたの「幸せ」の流れを邪魔することは誰にもできない。人はあなたに愛を返すか、あるいはだんだんあなたの経験から消えていくだろう。

「完璧な配偶者」の望ましい性格とは？

ジェリー　わたしたちは成長し、変化し、発展していくわけですが、それでも同じ一人の人がずっと「完璧な配偶者」であり続けることは可能ですか？　こんなことを言うのは、わたしは昔、空中曲芸師だったことがあり、そのころはパートナーを高く投げ上げては受け止めるので、相手は身長150センチ以下、体重も45キロ以下でなくてはならなかったんです。でもそれから何年もたってエスターに出会ったときには、もうそんな制限はありませんでした。わたしはほかの面でエスターに魅力を感じたのです。だからわたしたちが出会ったときには、エスターは完璧な配偶者でした。それを考えると、一夫一妻というか、一人の人と永遠に連れ添うというのはなかなか大変だと思うのですが。

エイブラハム　あなたがたが人生の細かなひだを経験していくうちに、新たな経験の流れのなかから新しい好みが次々と生まれる。このプロセスは決して止まらない。あなたがたが発射した願望のロケットは「内なる存在」によって受け止められ、「波動の現実」のなかにとどまる。言い換えれば、あなたがたは新しい経験をきっかけにいろいろな意味で望ましい人生を修正し、新しいバージョンを生み出す。あなたの「内なる存在」はいつでもその新しいバージョンを受け止め続けている。

あなたが関心を方向づけるパワーを使っていい気分になる姿勢を取り続けるなら、自分の「波動の現実」の進行スピードと歩調が合うから、自然に心地よい現実が展開し続ける。言い換えれば、完璧な人生経験が展開するように仕向けて「次は当然こうなる」という気分でいられる。だから、次の展開におけるあなたにとっては、「当然」パートナーが新しくなることもあり得る。そのときには、前の配偶者と別れて次の人といっしょになっても、居心地のよくない不快な状況を経験することはないだろう。

あなたがたの社会では「(どんな状況になっても)死が二人を分かつまで……病気のときも、いつもいっしょにいます」と誓うが、そのような基準はちょっと理屈に合わないし、無理がある。それよりも、こんな誓いのほうがいいのではないか。「わたしはいつも前向きな方向に思考を向けて、本当の自分である『源《ソース》』と『愛』との結び付きを維持するように、しっかり努力します。そのなかで、いつでも最善の自分としてあなたに接しましょう。あなたも同じことをしてほしいと思います。そして、それぞれが『本当の自分』と調和し続けることで、二人の関係もいつまでも喜びに満ちて拡大していくことを願っています」

自然の法則が配偶者を決める？

ジェリー　今までいろいろ考えてきたのですが、人間関係に対する正しい自然なアプローチって、なんなのでしょうね？　地球上のほかの動物たちを見てみると、ほとんどは一夫一妻じゃないですよね。メスのゾウはほかのどんなオスとでもいっしょになるし、オンドリは自分の群れのメンドリに近づこうとするオンドリがいれば死に物狂いで闘うじゃないですか。配偶者については人間もほかの動物のように行動すれば、「適者生存」の動物たちのように、人類ももっと強くてもっとパワフルになるんじゃないかと思うんですが、どうでしょう。「見えない世界」の視点からすると、関係性への正しいアプローチと間違ったアプローチがあるのでしょうか？　それから、何が自然なアプローチなのでしょう？

エイブラハム　人類の生存を保証するだけの自然な力は十分に働いているよ。変化も多様性もバランスも十分だ。あなたがたには飢えや渇きを満たそうとする自然な衝動があり、それと同じように種の生存を保証する性的衝動やつがいを作ろうとする衝動もある。わたしたちが人間関係に関心を向けるのは、あなたがたの行動をなんとかしなければ種としての

存続が危ういからではない。人類という種は危機に瀕してはいない。わたしたちに関心があるのは、あなたがたが楽しく生き延びられるかどうか、ということだ。

わたしたちには、あなたがたがコントラストに満ちた経験や人間関係から創造した「波動の預託口座」の全貌が見える。だから、あなたがたがその拡大・成長した「波動」に自分を調和させる方法を見つけられるように、お手伝いをしたいのだよ。そうすればあなたがたは今すぐに、拡大・成長した自分を十分に楽しく生きることができる。**あなたがたがなんらかの経験をきっかけにもっといいことを望むときには、その願望の実現を自ら「許容・可能」にしなくてはいけない。そうでないと喜びが減少してしまう。簡単に言えば、人生があなたを拡大・成長させるのに追いつかなければ、喜びは感じられないのだ。**

物質世界の存在として現れているあなたがたについて、わたしたちが知っている間違いのない正確でありのままの真実がある。こういうことだ。

・あなたがたは「ソースエネルギー」の延長である
・あなたがたが物質世界に焦点を結んだ目的はコントラストを経験することである
・あなたがたがコントラストに満ちた経験を選択する目的は、生きることについて新しい考え方や決断をすることである

・生きることについての新しい考え方や決断は宇宙の拡大・成長と等しい
・宇宙の拡大・成長は生きることとの必然的な結果である
・物質社会で生きることで、あなたの「見えない世界」の部分が拡大・成長する。喜びを経験しようと思うなら、その拡大・成長と歩調を合わせなくてはならない
・喜びはあなたがたとわたしたちの最も自然な性質である
・人間関係はあなたがたのコントラストのベースである
・したがって、人間関係はすべての拡大・成長のベースである
・したがって、人間関係はあなたがたの喜びのベースである
・喜びを「許容・可能にする」思考が見いだせないなら、あなたは「既にそうなっている本当の自分」から自分を引き離している
・人間関係のおかげで、あなたがたは拡大・成長する
・人間関係のせいで、自分の拡大・成長を「許容・可能」にしないでいることも多い
・喜びの状態にあることが自然だ
・成長しつつある状態が自然だ
・自由な状態が自然だ
・以上はあなたがたが人間関係について理解しなければならない、最も大切なことである

人間の自然な配偶行動とは？

ジェリー　しかし、配偶者は一人が自然なんですか？　それとも複数が自然なんでしょうか？　男性は一度に複数の妻を、女性は一度に複数の夫を持つべきなのでしょうか？　今のわたしたちの社会ではそれはいけない、ということになっていますが。

エイブラハム　今の質問から、もう一つのとても大きな、非常に誤った思い込みが浮かび上がるね。

間違った思い込み　その13

正しい生き方と間違った生き方がある。そしてすべての人が正しい生き方を発見し、同意して、次にその正しい生き方を他人に強制すべきである。

すさまじい不調和と混乱の核心にあるのが、「どんなことについても正しい決断はたった一つだ」という、この間違った信念なのだ。幸いこの間違った信念を強制する方法はないがね。もしそんな方法があったら、間違いなく「存在」の終わりにつながるだろう。言い換えれば、拡大・成長はすべてコントラストが生み出す新しい意図やアイデアから生まれるのだから、コントラストが消滅すれば拡大・成長も止まる。

だが、そんなことは決して起こらないから、心配はいらない。完璧にバランスのとれた多様性が確立し、「宇宙の法則」に従って流れている。わたしたちがこうしてあなたがたと話しているのは、人類の生存や「永遠」のためではない。何一つ危機に瀕しているわけではないからね。そうではなくて、こうして話してあげていることを理解することが、あなたがたが「楽しく」生きていくための基礎になるからだ。

人生の何かをきっかけにして「波動の預託口座」に向けて願望を発射すると、「感情というナビゲーションシステム」が働いて、その願望と波動を調和させやすくしてくれる。願望を実現して楽しく拡大・成長するためには、その調和が不可欠だ。それ以外の法や掟はあなたがたとはなんの関係もない。

あなたがたを取り巻く法や掟は、宗教的なものでも世俗的なものでも、「源《ソース》のより広い視点」と調和していない人たちによって書かれている。それにだいたいは、「何が望ましくないか」という視点に立っている。だから、多くの人たちがとてつもない時間を費やして、どの法や掟が正しくてどれが間違っているかと激しく議論することになる。そんなことをしている間は、より広い視点には到達できない。そういう人たちは、「源《ソース》」と分離しているために感じる自分のネガティブな感情を、議論を正当化するために使おうとする。

自分の行動が正しいかどうかを気にするのではなく、自分が愛を感じられるような思考、言葉、行為を見つけることで自分の「源《ソース》」と調和するように心がければ、この地上でおびただしい数の——さまざまなことを信じ、さまざまなやり方で行動している——生きとし生けるものと平和に共存することが可能だとわかるだろう。

「源《ソース》」との調和を「許容・可能」にする生き方に焦点を絞ることができれば、たとえほかの人たちがあなたとは違う行動を選んでも、あなたは正しい生き方についてすべての人と合意する必要がなくなり、真に自由になる。ただ一つの正しいやり方は終焉につながるだろう。多くの正しいやり方は永遠の拡大・成長を「許容・可能」にする。

人が周りの人々をコントロールする法や掟が必要だと思うのは、周りの人たちの行動が自分にネガティブな影響を与えると信じているからだ。だが、自分の思考によって招き寄せないかぎり、どんなことも自分の経験のなかに現れはしないとわかれば、他人の行動のコントロールなどという不可能な仕事から手を引いて、自分自身の思考を方向づけるというはるかにやさしい仕事をすればいい。

ここで「許容・可能にする術」のことを思い出してほしい。波動のなかで「既にそうなっている自分」や望むすべてとの波動の調和を「許容・可能にする術」のことだ。この広大で多様性に富んだ物質世界には、あなたがたが求めるすべてを供給する力がある。そして、あなたがたが目にするすべての恐ろしいもの、忌まわしいものは、誰かが本来あるはずの「よいあり方《ウェル・ビーイング》」を「許容・可能」にしないから生じる。「引き寄せの法則」は波動という性質を持つものすべてを律している（そして、すべては波動である）。あなたがたがその法則を発動させる必要はない。法則は法則として常に働いている。「許容・可能にする術」に関心を向け、理解し、応用すれば、ほかの人たちが何をしていようと、あなたは楽しく生きられる。だが、これだけは覚えておきなさい。楽しい人生を送っていない人に関心を向けているとき、あなたは「許容・可能にする術」を実践していない。

いい気分でいたら、同じ気分の人が寄ってくるか？

質問者　いっしょにいると、わたしも自分についていい気分になれる、そんな配偶者を探すのはいいことでしょうか？

エイブラハム　もちろん。ほかの人があなたを関心の対象とし、同時に高く評価すれば、あなたもとてもいい気分になれる。それはその相手が自分自身の「源《ソース》」と調和し、調和のとれたエネルギーをあなたに向けて放出しているからだ。そのときには高く評価している側もされている側も、どちらもいい気分になれる。だが、誰かの前向きな関心を浴びることでいい気分になろうと、相手をあてにしてはいけない。誰かの前向きな関心を浴びていてもいなくても、自分は「見えない世界の流れ」と結び付いている、と自分に教えなさい。あなたにはその「結び付き」があるのだから、いつもしっかりと「結び付いて」いれば、常にバランスを維持していられる。だが自分の「源《ソース》」と調和した誰かがあなたに関心を向けてくれるまで待っていたら、いい気分になれるかどうかは相手しだいということになる。その相手はいつも調和してはいないかもしれないし、いつもあなたに関心を集中するとも限らない。

ほとんどの関係が最初はとてもいい気分で始まるのは、初めのうちはパートナーのどちらも相手のいい面を見ようとする傾向があるからだ。関係が新しいから、まだ相手の欠陥に気づいていない。だが、時間がたつにつれてだんだん欠陥が見えてくるし、いい面を見ようという努力も薄れてくる。

誰にも頼らずに「源《ソース》」との結び付き」を維持していれば、真の自由を見いだすことができる。つまりあなたを縛る唯一の拘束から解放される。「本当の自分」への抵抗という拘束である。

誰でも完璧な配偶者になれるか？

ジェリー　地上に自分ともう一人、たった二人しかいないとしたら、その相手がどんな人でも、そこで望むものを創造することができるのではないでしょうか？　どちらもそのたった一人の相手に完璧な配偶者を見いだせるのではありませんか？

エイブラハム　まず、地上にたった二人しかいなければ、生きるうえで経験するコントラストが非常に限定されるから願望もあまり発展しない、ということを理解しなくてはいけない。そして限られた条件では願望も限られているから、限られた「存在」であってもかなり幸せになれるだろう。だが、あまりありそうもない仮説に基づいたあなたの質問のポイントはそこではないね。あなたが言いたいのは、「宇宙のすべての粒子に望ましいことと望ましくないことの両面があるなら、すべてのものに望ましいことを発見できるのではないか？　そして望ましいことに関心を絞れば、『引き寄せの法則』が働いてさらに望ましいことが引き寄せられてくるのではないか？」ということだろう。答えは、イエス、そのとおりだ。
どこにいても前向きないい面を探していれば、必ず未来はよくなる。だから、相当嫌な関係に耐えているときでも、そのコントラストからもっといいものへの願望が生まれるし、あなたのなかの「源《ソース》」はそこに関心を集中する。どんなに小さくても前向きないい面を見つけることに関心を集中すれば、コントラストから生まれたもっと大きな願望との調和を「許容・可能」にしていることになる。こうして前向きないい「波動」を一貫して出し続けていれば、その波動は物質世界で形となって現れる。もし、あなたの極端な仮説のように地球上にたった二人しかいなくても、願望は相手によって満たされるだろう。幸いあなたがたには、願望を実現するうえで、はるかに広くて協力的な活動の場が広がっているのだよ。

質問者　完璧な配偶者とはどんな人かと聞いたら、わたしがとても賢いと思っている人がこんなふうに答えてくれました。「完璧な配偶者とは、あなたから最善の部分を引き出す人、同時に最悪の部分も引き出す人だ」。これについて、どう思われますか？

エイブラハム　その人はコントラストのある世界全体とちょっと似ているね。言い換えれば、何を望まないかに気づいたときには常に何を望むかがより明確になる。だから相手は創造の三段階の最初、つまり「求める」ことを手伝ってくれるわけだ。相手との関係が成功した幸せなものになるかどうかは、相手がきっかけとなって生まれた願望にあなたが関心を集中し続けられるかどうかで決まる。あなたの配偶者がいつも「わたしはこれを望まないことがわかった」という流れを出し続け、あなたが「わたしはこれを望む」という願望のロケットを発射し続ければ、調和のとれた状態にあるあなたの影響力はとても強力だから、相手はネガティブな刺激を与えることをやめるだろう。だが、あなたが「許容・可能」にし続けていても、それと対抗するほど相手のネガティブな刺激が強力なら、彼はあなたの経験のなかにはとどまれない。「引き寄せの法則」があなたがたを引き離すだろう。

Part 3

セクシュアリティと「引き寄せの法則」

セクシュアリティ、感覚、ほかの人たちの意見

次の話題はセックス、セクシュアリティ、感覚

ジェリー　セックスというかセクシュアリティの問題はとても微妙で、考えると人はどうしても用心深くなったり、強硬な意見になったりするようです。セクシュアリティに多少でもかかわりのあるわたしの最初の経験は、相当にひどいものでした。2歳くらいのときにたぶん同じくらいの歳の女の子と木の箱に入って遊んでいたのですが、二人ともパンツを脱いでいるのを見つかり、厳しい罰を受けました。

それからやっぱり子どものころに、母親がセックスについて父親に文句を言っているのを聞きました。自分はもう三人も子どもがいる、あなたとのセックスには関心がない、そんなにしたければほかの女性を探せばいいだろう、と母は言っていました。さらにこれもまだ小さいころですが、自分も友達の男の子や女の子もセクシュアルな体験はそれぞれが

違っていることがわかりました。実際に性的に成熟する年齢になったころには、セックスについて強烈なトラウマがあったからだと思いますが、とにかくその話題は避けたいと思っていました。性的な障壁が消えるというか解消されて幸せな体験ができるようになるまで、わたしとしてはとても長い時間がかかったのです。

そこで、物質世界にいる人間のセクシュアルな面についてあなたがたがどんな見方をしているか聞かせていただければ、問題をはっきりさせて、人々をいい気分にする役に立つと思うのですが。

エイブラハム　あなたがたは子どものころ、自分自身の価値観、「よいあり方《ウェル・ビーイング》」、自分自身の価値との「結び付き」を失った大人たちにたびたび出会う。結び付きが切れて欠落した状態の大人たちが、あなたがたに用心深さを植えつける。

人類は長い間、セクシュアリティの是非を限りなく考えては新しい法律を作り、古い法律を改正してきた。正しい姿勢や取り組みとは何かについて合意を見いだそうとむなしい努力を重ね、自分たちが欠落のある立場から作った法律を強制しようとして、もっとむなしい努力をしてきたのだ。セクシュアリティに関するあなたがたの規則や法律は、文化によって、世代によって、社会によって、宗教によって異なるが、このことでもほかのことでも、法律は時代の経済的影響を受けている場合がほとんどだ。もっと重要なのは、セクシュアリティに関する法律や規則もほかのすべての法律や規則と同じで、「より広い視点」との調和を失った人々によって制定されていることだ。

自分たちは「波動の存在」で、「引き寄せの法則」によって自分と「波動が一致する」ものだけが引き寄せられてくることを人類が理解すれば、他人の行動について、そう心配することもなくなるだろう。人の行動が自分にネガティブな影響を与えると不安がらなくてもよくなるからだ。だが、自分がどのようにして「引き寄せ」ているかを知らず、望まないことが起こるのではないかと恐れていると、他人に強制することが不可能なだけでなく、逆に防ぎたい行動をますます増やすような決断をしたり法律や規則を作ったりする。

望まないことに強く抵抗すればするほど、その対象はますます自分の経験のなかに現れる、というのは常に真実なのだ。

だいたいセクシュアリティにいちばん激しく抵抗しているのは、「神」が人間に語りかけ、この問題について具体的な指示を与えたと信じているさまざまな宗教団体の人々だろう。そして、神のメッセージだと信じられているものに一貫性がなくてばらばらなことは、メッセージの受け手が非難や自己防衛の立場に立っているときには「純粋な愛である源《ソース》」から答えを得ることは不可能だという事実をいっそう明白にしている。「わたしが受け取ったものが正しく、あなたやほかの人が受け取ったものは間違いだ」という考え方自体が、メッセージを受け取ったと称する「源《ソース》」そのものに対する抵抗の場に当人を縛り付けている。そこから最も重要な間違った思い込みが見えてくる。

間違った思い込み その14

「神」はあらゆることを考えたうえで、すべてについて最終的かつ正しい結論に達している。

この信念というか間違った思い込みが、いつまでも消えない人類の攻撃性の根幹にある。あなたがたの戦争や偏見、憎悪、自分は無価値だという思いの根源でもあり、あなたがたが本来の「よいあり方《ウェル・ビーイング》」を自分に「許容・可能」にしていない第一の理由もここにある。この間違った思い込みは非常に重大で、その影響はきわめて甚大であり、自分や他人、そしていわゆる「神」に対する人類の歪んだ見方を取り上げれば、それだけで本が一冊書けるだろう。「源《ソース》」(呼び方はどうでもいいが)はもはや拡大・成長せず、完成された、あるいは完璧な場所にとどまり、物質世界のあなたがたに狭いルールに従うことを要求しているという結論は間違いで、「宇宙の法則」に反するばかりでなく、それを支えるために別の間違った思い込みを誘発し、さらに次々に間違った思い込みにつながっていく。「源《ソース》」の愛の波動の外にいるかぎり、人類は自己防衛に走り、人を非難し、罪悪感と恐怖感を抱き続ける。そしてその欠陥だらけの性格を、自分たちが「神」とよぶ存在にも押し付ける。

人類は「神」から与えられた掟について議論し続け、それぞれの経済的な願望やニーズに合うように法を捻じ曲げ、歪める。価値観や必要性、掟を守ることについては、宗教的指導者が指示する場合も多い。ある掟を守れば祝福が得られ、ある掟を破れば罰があたる、と言われる。だが気をつけて観察すれば、法を破った者が繁栄しているように見える一方で、必死になって法を守ろうとしている人たちが大いに苦しんでいることに気づくはずだ。すると、最大の間違った思い込みの一つを聞かされることになる。

間違った思い込み その15

物質世界の身体に宿っている間は、現世の行動に対する真の報償も懲罰も知ることはできない。報償や懲罰は、あなたがたがこの世で死を迎えたあとに示されるだろう。

「存在するすべて」を支える愛の「法則」は「普遍的」な法だから、常に働いている。その法則に調和していれば一瞬一瞬にはっきりとわかるし、調和していないこともまた一瞬一瞬に明らかになる。愛と感じられるものは愛であり、憎悪と感じられるものは愛ではない。

適切な生き方をしたいと思っている人たちは多いが、多様性に富んだ膨大なリストのなかから適切な生き方を選び出そうとすると、ほとんどの人は何が正しい道か自信を持てなくなる。そこで、また間違った思い込みが登場する。

間違った思い込み その16

地上の人たちの過去・現在の生き方、あるいはその結果のデータを集めれば、絶対的に正しいことと間違っていることをはっきりと分けることができる。それさえ明確になれば、あとはその結論を強制するだけだ。そして誰もがわたしたちの決定に同意すれば――もっと重要なことだが、誰もがわたしたちの決定に従えば――地上に平和が訪れるだろう。

こうしてどの集団も自分たちこそ神に肯定され支持されていると主張し、正しい生き方を守ろうとして、あるいは正しい生き方を証明しようとして、毎日大勢の人たちが死んでいく。ところがそのうちのどれ一つとして、真の「神との結び付き」を持っているものはない。

あなたがたは存在するすべての考え方をいちいち吟味して、ひと握りの合意できる考え方に絞り込もうと思って、この物質世界の身体に宿ったわけではない。それどころか、そんなことは生まれる前のあなたがたの意図とは正反対だ。そうではなくて、あなたがたは極端に多様性のある環境に生まれ出ること、そこでは違いと選択を基盤としてもっといい新しい考え方が生まれることを知っていた。自分たちが参加することで、人類が「神」とよぶ「永遠」の本質がさらに強化されることも理解していた。膨大なコントラストという土台が、人類が「永遠」とよぶもののなかに存在する永遠の拡大・成長のもとであることも知っていた。**神の拡大・成長に終わりはなく、その拡大・成長と物質世界の人間の参加は切り放せない。**

「神」あるいは「源《ソース》」との結び付きに関する人間の混乱のなかでいちばん破壊的なのは、自分たちの価値を発見し守るには、ほかの人の価値に反対し抵抗しなければならないと思っていることだ。ほかの人の望まない部分に関心を集中して抵抗しようとする行為そのものが、当人が求める「善」や「源《ソース》」との調和を妨げる。それなのに人は自分が感じるむなしさを他人との相違のせいにして、他人を非難する。そこから、もう一つの間違った思い込みが浮かび上がる。

間違った思い込み その17

ごく特別な人たち、例えば「わたしたちの」集団の創設者のような人たちだけが、神から正しいメッセージを受け取ることができる。したがって、ほかのすべてのメッセンジャーたちのメッセージは全部間違いである。

セクシュアリティについての対話の最中に最大の誤った思い込みの一つが明らかになるのは興味深いが、それだけでなくセクシュアリティというテーマは人類の存在の決定的な要因につながる。自分には価値がないという基本的な思いは「源《ソース》」との結び付きの欠落のせいで、それがセクシュアリティをめぐる混乱の根源にあるのだ。

自分が正しいと信じる生き方を発見し、自己を律してその生き方を守る人間はとても珍しい。なぜなら、もっと広い「知」から生じる自然な本能は、他人に強制された制約のある行動と対立するからである。

わたしたちのセクシュアルな法は「見えない世界の次元」で定められたのか？

ジェリー　すると、わたしにとっての「自然」とはなんなのでしょうか？　思い出せば、わたしは何年も前から、何が「自然」なのか、さらには何がもっと高次元の法に反しているのかを知りたいと考えていました。例えば世界各地の文化について見たり読んだりすると、どんなに原始的な社会にも、あるいは進んだとされる社会にも――新しく参加する人たちを制約する――セックスに関するタブーやルールがあるようです。そういうタブーやルールの一部は、高次元の知というか「内なる存在」から与えられたものなのかな、という気がするのですが。

エイブラハム　タブーやルールで、「内なる存在」や高次元の知、「見えない世界」から与えられたものはまったくない。タブーやルールは物質世界の脆さの産物だ。例外なくすべての法が――世俗的な法も宗教的な法も――欠落という視点で作られており、誰かを何かから守ろう、擁護しようと試みる立場をとっている。このような法をめぐって何が起こっているかをしっかりと見つめれば、違法行為を防止するのには役立っていないことがわかるだろう。もともと法を犯さない者を縛り、自由を制約し、人と同じであることによって他人に肯定されたいと願う人たちの生き方をますます混乱させるだけだ。

あの小鳥の声が聞こえるかな？（エイブラハムの言うのは、ちょうど家の外で聞こえていた自然の音のことだった）あれは実にセクシーな呼び声だ。ちょっと前、オンドリが大声でときを作るので、あなたは録音を中断しようかと考えたね。言い換えれば、あなたがたの世界は「見えない世界」からの指示を受け取っている「生き物」に満ちている。そして、セクシュアリティについて自己防衛し抵抗しているのは人間だけだ。極端な欠落の場に立ってセクシュアリティについて考えるのも人間だけだ。その欠落の視点、つまり何か間違ったことをしでかさないかという不安のせいで、また先人たちに植えつけられた不安のせいで、あなたがたのほとんどは大いなる混乱の場、あまり楽しくない場にとどまっている。

セクシュアリティは法ではなく、衝動によって導かれる

ジェリー　なるほど。そうすると、この物質世界の身体に宿った者のセクシュアルな行動を律する「見えない世界の次元」のルールはないのですね。そして、この世に生まれ出たと

き、わたしたちはどんなルールも携えておらず、したがってどんなルールも知らなかった。だから、子どもたちはあんなに無防備で、大人たちにだらしがないとか、不注意だと思われるような振る舞いをするのでしょうか？　だから大人たちは、子どもたちを抑えこんだり、コントロールしたりしなければならないと感じるのでしょうか？

エイブラハム　あなたがたは正しいことと間違ったことのリストを記憶して、この世に生まれ出たのではない。そんなリストは存在しない。だが、あなたがたには生まれたときから持っている効果的な「ナビゲーションシステム」がある。**あなたがたの感情は例外なく、人間として関心の対象について抱いている思考と、同じ対象に対する「見えない世界のより広い視点」との波動の調和――あるいは不一致――の指標だ。**

あなたがたの「源《ソース》」は永遠に拡大・成長しているから、あなたがたのその部分の理解や視点、意図、知識も同じように永遠に拡大・成長している。だから、あなたがたの経験を判断する基準としての正邪や善悪の不変のリストなどあり得ない。代わりにあなたがた一人ひとりには、思考の一つひとつ、一瞬一瞬について、愛情に満ちた正確なフィードバックシステムがあり、「より広い視点」に調和しているかいないかがその都度わかるようになっている。**すべての人に「源《ソース》」から渡された参考リストがあるだけでなく、物質世界の**

生きとし生けるものすべて、時空のすべてのポイント、あらゆる状況に「ナビゲーションシステム」が整備されている。

新しく入ってくる人をあなたがたの社会になじませようとするとき、自分の「ナビゲーションシステム」に気づかず、したがって相手のそれにも気づいていなければ、どの行動が正しいかを決めることは不可能だ。さらに、自分の決断を相手に強制しようとすると、それ以上に不可能な仕事を抱え込むことになる。

なぜ、多くの人々が他人の行動をコントロールしなければならないと思うのか。それはほかの人には自分たちの経験に侵入するパワーがあると信じているからだ。自分が波動を通じて招き寄せるもの以外は何も経験のなかに現れないことを思い出せば、自分が出す波動だけに関心を向けるという単純な仕事をすれば済む。そうすれば、他人の行動をコントロールするという遂行不可能な難事に煩わされることはない。他人のさまざまな行動は、たとえあなたが賛成しないものであっても、あなたがたの星である地球のバランスと「よいあり方《ウェル・ビーイング》」を豊かにすること、また——自分が関心を向けないかぎり——望まない行動には参加せずにいられることを思い出せば、他人が好きなように生きることを「許容・可能」にしようと思うだろう。

他人をコントロールしなければならないと思う気持ちはいつでも、「宇宙の法則」と地球を分かち合っているほかの人たちとのかかわりで自分が果たす役割についての基本的な誤解から生じている。ここでもう一つ、大きな間違った思い込みが現れる。

間違った思い込み その18

社会の好ましからぬ要素を探し出すことで、わたしたちはそれを退治できる。好ましからぬ要素がなくなれば、わたしたちはもっと自由になるだろう。

真の自由とは、抵抗がないということだ。真の自由とは、調和があるということだ。真の自由とは、自分の「見えない世界のより広い」部分と完全に調和し混じり合うことへの抵抗をやめたときに感じるものだ。したがって、何か望まないものに抵抗し、同時に「本当の自分」や望むものと混じり合うことは不可能だ。**望まないものに抵抗している状態で、同時に望むものと調和することはできない。だから、他人をコントロールしようとしていたら、その動機は善だとどれほど信じていても、決していい気分にはなれない。**

あなたがたは正しい行動に関するルールを知ることはできないが、しかし衝動を感じることはできる。言い換えれば、のどが渇いたら身体を潤すために水を飲みたい、空腹になったら身体にエネルギーを補充するために何か食べたいと感じるのと同じく、地上で人類という種を存続させるための感覚や衝動、セクシュアリティは自然に生じる。

人間が性的な面で野生動物のように振る舞ったら？

ジェリー　そこで動物の話題に戻りますが、動物たちは「見えない世界のナビゲーション」、わたしたちが本能とよぶものに従って行動しているように見えますね。オンドリやメンドリを拘束する成文法や規則はありません。ニワトリたちは自分のなかで生じる衝動に従うだけです。だから、わたしたちもこの地球に生まれて、ルールなしに新しい人生を始めるのなら、外からの制約なしに、「内なる存在」に従って行動できるはずではありませんか。でも実際には、わたしたちは既に従うべきルールがあってコントロールされる社会や文化のなかに生まれてきますよね。

エイブラハム　いちばん理解してほしいのは、あなたがた人間にも自分のなかから生じる「ナビゲーション」がある、ということだ。あなたがたのナビゲーション、内なる知、自己意識——本当の自分の永遠なる資質——は、あなたがたのなかでとても力強く働いている。あなたがたはほかの人間にコントロールされていると思っているかもしれないが、そのコントロールはあなたがたが信じているほど大きくはないし、影響力もないことをわかってほしい。なぜなら、あなたがたが持って生まれた「見えない世界」の衝動のほうがもっと強いからだ。

あなたがたの社会は性的な行動について際限なくルールや法律を課しているが、ルールを守る人たちよりも破る人たちのほうが多い——ルールはいつも破られている。それは「見えない世界」の衝動がそれほどに強いからだ。政府やほかの統制機関が、あなたがたはもう食物を摂取してはならないと命じたとしても、生きようという自然な衝動のほうが勝って、あなたがたは食べる方法を見つけるだろう。

あなたがたもあなたがたの世界も、性的な行動を拘束する法律やルール、誤解から自由になるためにこの本を必要としているわけではない。あなたがたの自然な衝動は強力だから、あなたがたは縛られていると感じても本当はそのとおりに行動してはいない。言い換えれば、自然な本能や衝動が強く、それがあなたがたの行動を導いている。だが他人の行動をコントロールしようとする立場で作られた非現実的なルールに照らして自分の行動を考え、感情的な不調和に苦しむ。言い換えれば、あなたがたは自然に行動し、そして嫌な気分になる。

お互いの行動をコントロールできると信じている間は、あなたがたの社会は求める幸福

を見つけることは——あるいは真の自由の甘さを知ることは——決してできないだろう。コントロールすべきは自分の考えであり、本当に求めるべきは自分の「より広い視点」との調和なのだ。

社会が個人のセクシュアリティを否定したら？

ジェリー　それでは、ある行動について考えたとき、自分はいい気分になるのだけれど、ほかの人たちがどう思うかと考えて嫌な気分になるのはどうなんでしょうか？　そういうときはどうすればいいとお思いですか？

エイブラハム　わたしたちが言っているのは、あなたがたが道から外れてしまったのは他人の意見で自分の行動を決めようとしているからだ、ということだよ。頼りになる本当の指針は、何かを考えたときに自分が「源《ソース》のより広い視点」と一致していると感じるか、あるいはしていないと感じるか、ということだ。

あなた以外は誰も、「見えない世界」からこの世界にやってきたとき、あなたがどんな意図を持っていたかを知らない。誰もあなたが経験してきた何千もの交流や関係をあなたに代わって経験することはできないし、あなたが生きていくなかで発射してきた願望のロケットにかかわっているわけでもない。生きることを通じてあなたが創造した「波動の現実」を知らないし、あなたが自分の感情を通じて察知する調和や不調和――「許容・可能」にしているか、抵抗しているか――も感じ取れない。

今のは重要な質問だ。あなたはこの質問を通して、どの感情が信頼できるか、どの感情に従うべきかを理解しようとしている。なんらかの個人的な経験について考えたときのいい気分か、それとも他人は賛成してくれないと気づいたときの嫌な気分か、どちらを信じるべきか、ということだね。

「感情というナビゲーションシステム」の存在や、それがどんなふうに働いているかに気づくことはこのうえなく大切だ。この「ナビゲーションシステム」がなければ、一貫した指針は得られない。どんな瞬間でも、あなたが感じる気分は、そのときあなたのなかで生じている思考について、あなたとあなたの「源《ソース》」が調和しているかどうかを示している。

この身体に宿る前も宿ってのちも人生を通じてずっと、あなたの「内なる存在」はあなたが生きてきた「波動」を集約し、すべての善なるものと同じ「波動」になっている。そのことがわかれば――そしてあなたの感情は現在の思考とすべてを知る純粋で前向きなエネルギーとしての「源《ソース》」の視点とのフィードバックの結果であることを理解すれば――そのとき、そしてそのときにだけ、自分の感情の価値を十分に理解し、評価することができるだろう。

だから嫌な気分は必ず、あなたの思考が「源《ソース》」の知と調和していないことを示している。言い換えれば、自分自身の欠陥を見つけ、自分はダメな人間だ、価値のない人間だと決めつけると、いつでも嫌な気分になる。なぜならあなたのなかの「源《ソース》」は、あなたへの愛だけを感じているから。他人を否定するとき、あなたはいつでも嫌な気分になる。なぜなら、あなたのなかの「源《ソース》」はただ他人を愛しているから。嫌な気分になったら、ああ自分は今「源《ソース》」と一致していないんだなと思い出せば、意図的に思考を組み替えて「源《ソース》」と一致させることができる。それが「ナビゲーションシステム」を効果的に活用するやり方だ。

この非常に個人的な「ナビゲーションシステム」に従わず、他人を喜ばせるために自分の行動を修正しようとすると、すぐに「ナビゲーションシステム」の指針とずれてしまい、どうしていいかわからなくなるはずだ。「ナビゲーションシステム」との意識的な「結び付き」を失っている人が多いが、そういう人たちは「源《ソース》」とパワーに調和し一致する思考に集中しようと心がけるのでなく――「源《ソース》」の明晰さと愛とパワーの波動にいつも合わせておこうとするのでなく――自分や周りの人たちが考えていることの結果に関心を向けてしまう。言い換えれば、周りで起こっている「波動」の創造の結果に目を向けて物事を分類整理して判断し、これはいい、これは悪い、これは正しい、これは間違っていると区分けする。そうやってデータに埋もれて、進むべき道を見失う。

違った意見や配慮すべき状況はいくらでもあり、動機もたくさんあるのだから、社会の人々がかかわる行動のすべてを、正しいか間違っているかで区分することは不可能だ。たとえ正しい生き方について社会としておおまかな一致をみたとしても、その意見が正しいとすべての人を納得させることはできない。さらに「不適切な」行動について意見が一致して法を定めたとしても、それを強制する方法はない。あなたがたの社会は多数派を喜ばせるために人々の行動に指示を与え、その指示を強制しようとし続けているが、あなたがたは非常に多種多様だから、どうしたって不愉快な闘いが続いてしまい、その試みの経済的比重はどんどん低下していく。要するに、世界には個人の自由と思考の独立性という自然な流れを無理やりせきとめられるほどのお金はないのだ。

宇宙は「加えること」をベースにしていること、そこで起こるすべての出会いのあらゆる細部を取り仕切るマネージャーが「引き寄せの法則」であることを忘れると、人は起こるはずのないことを恐れるようになる。つまり、望まないことが強引に自分の経験のなかに侵入してくるのではないかと恐れる。だが、自分が招き入れないものはいっさい経験のなかに入ってこないことを思い出せば、そして経験のなかに現れるのは、望むにしても望まないにしても自分がそのエッセンスに思考を集中したからだと気づけば、強力な「感情というナビゲーションシステム」を自信を持って活用し、自分の現実を自分で創造できるようになる。

人が内なる自分との調和や不調和にだけ関心を払うようになれば——調和しているかどうかは明るい前向きな気分になるか嫌な気分になるかで示される——他人の行動のコントロールなどという苦労が多くて達成不可能な仕事から解放されるだろう。

「より広い」理解へと思考を向けるように心がけていれば、そしてコントロールできないことに時間やお金を浪費するのをやめれば、「源《ソース》」と調和してホッとした安らかな気分になれるばかりでなく、望むすべてが実現する。

そこで、さっきのあなたの大切な質問に戻るが、ある振る舞いや行動について考えて——際限のない意見やルール、そして否定という土台に立った他人の意見とは関係なく——楽しい気分になるなら、その考えにあなたのなかの「源《ソース》」も賛成している。そして、きっと他人に否定されると思い、自分はダメな人間だと考えて暗い嫌な気分になるのは、あなたのなかの「源《ソース》」が賛成していないためだ。

過去から現在に至る社会の人々の行動や周りの人々の意見をすべて区分けし、あらゆる法を見直し、法律がどうしてできたのかを理解し、法律の展開を評価し、そのすべてに従って生きよう、あるいはそれを強制しようとしても、混乱し、圧倒されるだけで、とても不可能だ。

「源《ソース》」「無限の知性」「内なる存在」「神」があなたの思考や言葉、行動に賛成しているか反対しているかを知るには、そのとき自分がいい気分なのか嫌な気分なのかに気をつけるだけでいい。

すべてについて安らぎを見いだすには、他人の承認を取り付けたいという願望を棚上げして、自分自身の承認を求めることだ。それには内側から外へ向かって仕事を始めなくてはならない。自分がいい気分でいたいと望んでいること、善なるものと調和した人生を経験したいと望んでいることを認めよう。約束するが、そこから出発すれば、なんらかの行動をしたとき、あるいは行動しようと考えたとき、自分自身の大いなる正邪の概念を裏切ったと感じるような状況に陥ることは決してないだろう。

人間の性的な階層は誰が決めたのか？

ジェリー　わたしたちの社会のセクシュアリティについて考えると、セックスなどしない、いわゆる高位の聖職者という人たちがおり、セックスする（ただし、子どもをつくるためにだけ）普通の人たちがいて、さらにいちばん下の階層として楽しみのためにセックスする人たちがいる、というふうになっているようです。でも、わたしが見るところでは、誰もがそのすべての面を持っているようなのですが……

エイブラハム　ここであなたの話の腰を折ったのは、今の考え方はどれも欠落という視点に立った、自分には価値がないと考えている人たちのものだからだよ。

物質世界でのあなたがたの人生経験は感覚からできている。あなたがたはこの物質世界に、見る感覚器官である目、聞く感覚器官である耳、嗅ぐ感覚器官である鼻、感じる感覚器官である皮膚、味わう感覚器官である舌を持って生まれてきた。この「最先端」の時空の現実は、あなたがたの感覚器官が提供する入り組んだ「波動の解釈」でできており、そのすべてはあなたがたの物質世界の経験を豊かにするためにある。

自分の感情に関心を払っていれば何が適切な振る舞いかわかるし、あなたがたの核心にある価値を理解できるはずだ。これこれの時点から人類は自分の価値観や価値を信じることをやめたと指摘する必要はないし、可能ですらない。一つの「正しい」回答、一つの「正しい」振る舞い方を探そうとして経験を比べているうちに、「源《ソース》との結び付き」を「許容・可能」にできなくなり、そのために次第次第に侵食されてきたのだ。今あなたがたの星・

地球では無価値だという感覚がはびこり、人々の思考の多くが欠落に向けられて、そのためになおさら「源《ソース》」や愛、「よいあり方《ウェル・ビーイング》」との調和からはずれる結果になっている。

あなたがたは「ソースエネルギー」の延長として物質世界の身体に宿り、具体的なコントラストを経験し、よき人生についての具体的な新しい決断に達している。そして、人生経験があなたに問いを投げかけるたびに、「源《ソース》」の経験のなかで回答が生まれる。問題が投げかけられたという経験をするたびに、「源《ソース》」の経験のなかで解決が生まれる。さらにコントラストを生きて探求し、経験しようという意志を通じて、あなたがたは常に新しい願望のロケットを発射している。そして「すべてであるもの」はあなたがたの人生経験によって拡大・成長する。

気分のいい考え方を見いだそうという強い意志を持っていると、自分のなかの「源《ソース》」と波動が一致することが多くなり、いつもいい気分でいられる。その気分が、あなたが存在理由をまっとうしていること、自分自身という「存在」の拡大・成長と歩調を合わせて生きていることを知らせてくれる。

どんな経験もあなたを拡大・成長させるし、前向きの明るい感情はあなたが新しい拡大・成長に遅れずに前進していることを示している。ネガティブな感情は、あなたのより大きな部分は拡大・成長した場に進んでいるのに、あなたは遅れて足踏みしていることを示している。だから、自分の感情に関心を向けること、そしていつでもできるだけ気分のいい思考を積極的に求めることで調和のリズムが確立できるし、そうすれば、あなたが既に実現している善から外れたときにはすぐに気づくことができる。

自分のなかの愛に満ちた楽しい「源《ソース》」「源《ソース》の存在」に反する行動をとれば、必ず非常に強烈なネガティブな気持ちになる。自分のなかの「源《ソース》」と完全にずれているのに、自分は正しいと主張して他人を非難する人たちがたくさんいる。その人たちのなかで燃えている怒りは、当人が主張する正しさを自分で「許容・可能」にしていない証拠だ。**怒りと憎悪と非難は「神」との調和のシンボルではなく、あなたがたが「神」とよぶ存在との不調和を示している。**

「でも、罪悪感を覚えるのは自分が何か悪いことや間違ったことをしているからでしょう」と言う人がいる。だが、わたしたちが理解してほしいのは、あなたがたのネガティブな感情は、そのときの思考の波動があなたの「源《ソース》の波動」と一致していないことを意味しているだけだ、ということだ。自分を愛していないときも、その不調和を感じるだろう。

わたしたちが物質世界にいるあなたがたの立場なら、なんらかの行動を考えてネガティブな気持ちになった場合、ネガティブな感情が消えるまでは考えたことを実行に移さない。必ず「源《ソース》」と調和してから先へ進む。**やがて（普通はごく短い時間で）思考が改善されたなと**

感じたら、「源《ソース》」と調和したことがわかるし、自分の行動が適切だと知ることができる。わたしたちなら正しいことと間違ったことの長いリストなど作らず、代わりに「源《ソース》」との調和を感じ取るように心がけるね。

ネガティブな感情は、あなたが善ではないことを意味しているのではない。そのときのあなたの思考が、同じ対象についての「源《ソース》」の思考と調和していないことを意味しているだけだ。あなたが性的な交渉は間違っていると信じていて、しかし性的な交渉を持とうと考えた場合、そのときのネガティブな感情は性的な交渉が間違っていることを証拠だてているのではない。そのときの自分や自分の行動に対する見解が、「源《ソース》」のあなたに対する見方と調和していないことを示しているだけだ。だから、立ち止まって自分を愛し肯定する思考を求めれば、不調和が消えるのを感じられるだろう。

普通はこの世界の身体に宿ってから50年か60〜70年もたてば、誰もかれも喜ばせることはできないとはっきり気づく。それどころか、普通はそのなかの大勢を喜ばせることだって無理だとわかるだろう。それぞれがあなたに別のことを要求するからだ。他人に肯定されるかどうかに自分の指針を求めることは無駄だし、つらいだけだ。内なる「ナビゲーションシステム」を信頼すればいい。それどころか、本当はそれこそが信頼できる唯一の指針だ。そこには「本当のあなた」「あなたが既にそうなっている自分」について、それに拡大・成長する「存在」との「波動の関係」におけるあなたの位置についての完全な理解がある。

自分のなかの「源《ソース》」との関係が理解でき、いつも「源《ソース》」との波動の関係を教えてくれる「感情というナビゲーションシステム」に気づいていれば、欠けることのない善で価値のある存在という「本当のあなた」から外れることはあり得ないだろう。

性的な共同創造の調整について

ジェリー 人間にはセックスを楽しみたいという生来の願望と同時に、子孫を残したいという本能的な衝動があると思います。それに、わたしたちには思考を通じて創造しようという生まれつきの願望もありますよね。そこでセクシュアリティというテーマは、実は二人の人間の願望と信念と意志がかかわる共同創造というものにたどり着くのではないでしょうか。しかし、時間と経験を旅しているそれぞれ違った二人の人間が調和しつつ共同創造し続けるなんて、どうすればできるのでしょうか？　どちらも変化しているのに、どうすれば自分の願望と配偶者の願望を調整できますか？

エイブラハム　この前の質問のときにも話したように、配偶者と仲よくしたいという願望が相手の承認を求めたいという願望にならないようにすることが肝心だ。相手の同意を見いだそうと努力するなかで自由を失ったと感じることほど、関係を破壊する力はない。そこで、もう一つの間違った思い込みが浮かび上がる。

間違った思い込み その19

いい人間関係とは、それぞれが相手の同意と相手との調和を見いだすことを最優先しようという意志を持った関係である。

それぞれが相手との調和を見いだそうとすることが、どうしていい人間関係と幸せな人生の土台として間違っているのか？　どちらも自分の「波動の預託口座（波動の現実）」を創造しており、幸せになるにはその波動の預託口座との一致を心がけなければならない。「内なる自分」との調和を見いだすことよりも、配偶者との調和を見いだすことを優先すると、あなたと「源《ソース》」とに不調和が生じる可能性が非常に大きい。その不調和の感覚は自由の喪失として感じられる。すると、あなたが本当に調和を見いだそうとしているパートナーもいい気分でなくなる。あなたは自分の「源《ソース》」との結び付きを失うと満たされない気分になるし、実際に満たされない。だから（自分ではそのつもりでなくても）喜ばせようとしたパートナーをかえって恨むようになる。要するに「源《ソース》」との調和の代わりになるものはないのだ。

ここでも、あなたはまったく間違った場所に愛を探している。わたしたちは、配偶者と仲よくしたいと思うな、と言っているのではない。そうではなくて、最初に「源《ソース》」との調和を心がけることこそが大きな力になる、と強く勧めている。**自分のなかの「源《ソース》」との調和が見いだせれば、あなたの最大の拡大・成長とも一致する。そして「本当の自分」「既にそうなっている自分のすべて」と一致すれば、自動的にパートナーとの最善な関係とも調和する。**

カップルやそのほかのどんな種類の共同創造でも、まず相手を喜ばせることを考えて調和を求める人たちは、その思い込みが間違っていることを悟らされるだろう。**自分の「源《ソース》」との調和を求めて見いだそうとするくらいに自己中心的でなければ、パートナーにも何も与えられはしない。**

パートナーを幸せにするのが自分の仕事だと思って、相手を喜ばせようと一生懸命に努力すると、かえって相手を究極の不幸に押しやってしまう。なぜなら、相手は「源《ソース》」との調和を求めるのではなく、あなたとあなたの行動を通じていい気分になる癖がついてしまうからだ。あなたがどれほど相手を喜ばせるのが上手でも、またどれほど努力しても、パートナー自身の「源《ソース》」との一致のよき身代わりにはなれない。

あなたが共同創造している人に伝えるべきメッセージはこういうことだ。「わたしは自分の感情の責任をあなたに負わせるようなことは決してしない。わたしは自分の『源《ソース》』との調和を維持するように心がける力を持っているし、だから自分をいい気分にしておく力がある」。あなたが本気でそう思えば、真の自由と真の幸福への道、しかも唯一の道を見つけたことになる。だが、あなたの幸せが誰かの意志や信念や行動しだいだとしたら、あなたは罠に落ちたも同じだ。相手をコントロールすることは不可能だから。

セックスへの恐怖が喜びを阻害する

ジェリー　エイブラハム、こんな質問があったので、ご紹介したいと思います。これは実際にあった例なので、あなたがたが教えてくださった「法則」やプロセスと関連づけた答えが聞きたいのです。

質問者は若い女性です。

「わたしも母も、セックスについて不安を抱いています。どちらもセックスについて聞きたくもないし、読みたくもないし、テレビで見たくもなければ、実際にセックスしたいとも思いません。たぶん母がセックスについて強いネガティブな感情を持っていたせいで、わたしも配偶者に触れられるだけで、セックスにつながるのではないかと不安になるのだと思います。わたしはいい結婚生活を送りたいと思っているのですが、セックスを強いられるという不安なしに感覚的なこと、つまり触れ合いを楽しむには、どうすればいいのでしょうか？」

エイブラハム　その女性の言葉を読んだり聞いたりした人たちの多くは、いろいろな思いにかられるだろうね。性的交渉と考えるだけで妻がそれほど嫌悪するなんて、夫が気の毒だと感じる人もいるだろうし、彼女の気持ちはよくわかるという人もいるだろう。その女性の結婚相手がセックスについて彼女と違う考え方をしていれば、いつもどちらかが居心地の悪い思いをしなくてはならないだろうな。

わたしたちが理解してほしいと思ういちばん大事なことは（たいていは、人がいちばん理解しにくいことでもあるのだが）、彼女の問題は、ひいてはその解決策も、性的行動とは関係ないということだ。性的行動についてこれが正しいとか間違っていると決めるルールはないのだから。何か具体的なことを考えたときにいつも強いネガティブな感情が起こるとすれば、その問題についてあなたがいつも考えていることが「源《ソース》」の視点とまったく違っていることを意味している。

例えばあなたが若い女性で（年齢は関係ないが、こういうことはたいてい若いうちから始まるので）、ある事柄について言ったりしたりしたことを強く否定されたと感じると、たぶん自分の言葉や行動あるいは思考さえも不適切だったのだという結論を出すだろう。そのときのむなしい感情を罪悪感と名づけ、自分の行動や言葉や思考が間違っていた証拠だと受け止める。だが「感情というナビゲーションシステム」は、それとは全然違ったことを教えている。あなたが感じている罪悪感は、自分の思考や行動が不適切だったという結論があなたのなかの「源《ソース》」の意見とまるで違っていると教えているのだ。言い換えれば、あなたは自分を非難しているが、「源《ソース》」はそんなことはしていない。

もともとあなたがたがなによりも望んでいるのは自分の価値や善を認めることで、それが「許容・可能」にできないことを考えていると嫌な気分になる。ある行動が間違っていると決めれば、そういう行動をすると嫌な気分になるだろう。ある振る舞い方がいいと決めれば、そういう振る舞い方をするたびにいい気分になるだろう。しかし、どれが正しくてどれが間違っているのか、どれがよくてどれが悪いのかをいちいち区分けしようとすると、人生はとてつもなくややこしくなる。

例えばよい妻はいつでも夫に協力するものだと信じていれば、夫の性的欲求に応じないと嫌な気分になるだろう。性的交渉は悪いものだと信じていれば、夫の性的欲求に負けると嫌な気分になるだろう。だから夫の要求に応えても応えなくても嫌な気分になる。これでは身動きがとれない。やがて夫の性的欲求が不適切なのだと考えるようになる。

だが、理解してほしいのは、あなたの感情はどれも、夫の欲求や行動が正しいか間違っているかとは関係ない、ということだ。あなたの感情はいつも、自分自身の思考が「内なる存在」の思考と一致しているかどうか、それだけを示している。そして自分はダメな人間だと決めると必ず「源《ソース》」とずれてしまう。夫はダメな人間だと決めると必ず「源《ソース》」とずれてしまう。セックスの問題で自分に影響を与えた母親が間違っていたと決めると「源《ソース》」とずれてしまう。

例えば、あなたが人生経験を通じて、セックスと関係があるものでもないものでも、ある行動には参加したくないと決めたとする。その望まないことを考えて時間を費やしたりしなければ、あなたのなかでは望まないことに関する「波動」は生じない。それなら「引き寄せの法則」が働いて、あなたの思いにぴったりのパートナーが現れるだろうし、いっしょに暮らしてもなんの問題も起こらないだろう。

次に、あなたが人生経験を通じて、ある行動には参加したくないと決めたとする。その決断をあなたは若いころにした。というか、実際には信頼している母親から学び取った。それは自分にとって重要な決断だと感じ、それに関する本を読む。カウンセリングも受ける。あなたは自分が何を望まないかを非常にはっきりと意識する。そして、しょっちゅう自分の決断を正当化する。こんな状況では、「引き寄せの法則」であなたの思いにぴったりのパートナーが現れることはあり得ない。あなたが圧倒的に発している「波動」はあなたの決断と一致していないからだ。だからあなたは自分が望むと決めたのと正反対のことを求めたり強要したりするパートナーを引き寄せてしまう。

わたしたちは別に、あなたがたに性的行動を勧めたり遠ざけさせたりするつもりはない。そうではなくて、これもまた「できない相談」の事例だということをわかってほしい。望まないことに一致している「波動」を出し続けながら、望みをかなえることはできない。それにわかってほしいのだが、自分の感情に関心を向け、いい気分になることを考えようと心がけていれば、「見えない世界のより広い部分」の自分が何を望んでいるかがだんだんわかってくる。ネガティブな感情のほとんどは、あなたがたの思考が間違っているからではなく、「源《ソース》」が非難していないことをあなたがたが非難しているから生じる。あなたがたの「源《ソース》」は愛であり、決して非難はしない。

だから約束するが、時間をかけて自分のなかの「源《ソース》の波動」と一致すれば、あなたの性的な感受性はきっと回復する。あなたがたはこの世界の存在としての喜びを探求し楽しもうとして、物質世界の身体に宿ったのだから。「源《ソース》」と調和しているのに肉体的な触れ合いを嫌悪する人を、わたしたちは見たことがない。嫌悪は「結び付きが断ち切られている」しるしだ。

いつでも再出発できる

ジェリー　エイブラハム、あなたがたと会う前、わたしは人生とはいろんな分かれ道がある道路を進むようなものだと考えていました。こっちの分かれ道を選んでもいいし、あっちの分かれ道を選んでもいい。そして、どこかでこんな生き方は間違っていると感じたら、直前の分かれ道まで引き返して、もっといい道を選べばいいのではないか。でも、あなたがたは引き返す必要はない、いつでもいるところから再出発できるとおっしゃっているようですね。

エイブラハム　あなたのたとえで忘れられているのは、人生でいい気分になれないとき、これではいけないと感じたとき、あなたは改善策や解決策を願う「波動のロケット」を発射している、ということだ。「波動のロケット」を発射すると、「波動の預託口座」で新たに修正された願望が生まれる。さらにそのとき、あなたの「見えない世界の部分」は拡大・成長した存在になり、改善された経験をしている。だから、物質世界の存在として以前の視点に戻ることは必要ないし、可能でもない。人生はあなたをどんどん前進させている。もっと大事なのは、拡大・成長したバージョンのあなたがあなたを呼んでいることだ。あなたが耳を傾ければ、あなたの前には明るくてわかりやすい道が現れるはずだ。

楽しいセックスという周波数を回復するには？

ジェリー　さっきの若い女性の質問のことですが、あそこからは、こんなふうに考えている男性の姿が浮かび上がってきますね。「結婚して3ヵ月は妻と日に3回から4回もセックスしたものだった。だが数年たった今では、妻はセックスを嫌うようになった。だからわたしのほうから誘わなければ交渉もない。妻は言葉や映画、本など、どんな形の精神的な刺激にも興味がない。セックスにつながることはいっさい拒否する。妻が楽しめないのであれば、わたしだって楽しくないから、妻とセックスしたいとは思わない。**こんな経験を変えるためには、わたしは考え方をどんなふうに改めればいいのだろう？」**

エイブラハム　解決策の見つからない袋小路にはまって困っている人はたくさんいるようだね。その人たちはこんなふうに考えているのだろう。「妻が性的交渉を望まない。そこでわたしの選択肢は、1．セックスなしで暮らす……だが、これではいい気分にはなれない。2．妻と別れて、新婚のころの妻のように応じてくれる別のパートナーを探す……だが、わたしは妻と別れたくない。3．妻と別れずに、別のセックス相手を見つける……だが、妻を裏切ったり騙《だま》したりしたくないし、妻も浮気を許さないだろう。4．妻を説得し、あるいは強要して、わたしの欲望に従わせる……だがこれは心地よくないし、性的欲求も萎《な》えてしまう」

今挙げたどの選択肢も有効な解決策にならないのは、どれも本当の問題に取り組んでいないからだ。関係ができた最初のころはそうだった、と多くの人が言うように、二人が愛し合っているとき、お互いに前向きの関心を注ぎ合い、二人の関係にも前向きの期待をしているから、それが触媒になってそれぞれが自分の「内なる存在」と一致している場合が多い。だから、お互いが相手をきっかけにして「本当の自分」と一致している、と言うこともできる。その一致が二人の仲のよさとなって現れる。**調和した共同創造のシンボルとして、性交渉による肉体的な結び付き以上のものはない。**

もちろん、当事者の片方あるいは両方が「源《ソース》」と調和していない性交渉もあり得るが、物質世界の自分と「源《ソース》」が調和しているときには肉体的な交渉は崇高なものとなる。

もちろん性的交渉に積極的に応じてくれるという以外にもさまざまな理由で、あなたは妻が「源《ソース》」と調和していることを望むだろう。だがいずれにしてもここで大事なのは、彼女と「源《ソース》」との結び付きだ。

誰かを当人の「内なる存在」と調和させる力は、あなたにはない。あなたにできるのは自分自身が自分の「内なる存在」と調和することだけだ。しかし、セックス面での不一致に関心を向けながら、同時に「内なる存在」と調和することはできない。妻が「内なる存在」と調和していないことに気づきながら、同時に自分が「内なる存在」と調和することはできない。自分が望む何かが欠落していることに関心を向けながら、同時に「内なる存在」と調和することはできない。この問題を解決できるかどうかは、妻とのセックスについて「源《ソース》」と調和する考え方を見いだせるかどうかで決まる。

要するに、配偶者との性交渉について気分のいいことを始終考えられるなら、あなたは「源《ソース》」と、それに自分の願望と調和している。配偶者との性交渉を考えて罪悪感や妻に対する非難や失望を感じるなら、あなたは「源《ソース》」とも自分の願望とも調和していない。配偶者との性交渉を考えて熱意や幸福感を覚えて官能的な気持ちになるなら、あなたは「源《ソース》」とも自分の願望とも調和している。だから、時間をかけて「源《ソース》」と調和する思考に関心を集中できるようになれば、強力な「引き寄せの法則」が働いて、あなたの意に添う出会いがどんどん引き寄せられてくるだろうし、配偶者との仲も初めのころのように情熱的になるだろう。

配偶者がどうしても「源《ソース》」との調和に抵抗し続けるという場合もあり得る。そのときには「引き寄せの法則」が働いて、あなたが育てた「波動」に合った別の配偶者が現れるだろう。だが、あなたが自分の「内なる存在」と完全に調和しつつ、配偶者に前向きな関心を注ぎ続ければ、妻もまた本来の調和した状態に戻る可能性が大きい。

「内なる存在との結び付き」に触発された性的交渉はとても甘美な経験だが、相手への思いや責任のない性交渉はそうではない。

要するに、相手が何かをしても不満や欠落を感じないで自分の「源《ソース》」との調和を維持し続けられれば、願いはかなう。その場合には、その男性が妻の感情を大切にしていることが明らかだから、妻も影響されて「源《ソース》」と調和する可能性が大きい。

だからこの質問の要点は、どうすれば自分が望むものを相手から引き出せるか、ではない。相手が何をするかとは関係なく、どうやって自分が「源《ソース》」と調和するかが問題なのだ。それができれば、あなたは「源《ソース》」といつも調和しているから、配偶者も「源《ソース》」と調和するように仕向けられるかもしれない。そしてその調和の副産物として——新婚のころそうだったように——前向きな関心の対象と一つになりたいという願望が起こるだろう。

セックスと宗教と精神病院の患者

ジェリー　何年か前、精神科医や心理学者の友人たちを訪問したことがあるのですが、そのときに聞いたところでは、ワシントン州スポケーンで彼らが勤務している精神病院の患者たちの大半は、要するに宗教かセックスについて混乱したあげくに入院したのだということでした。もちろん入院することになったのは混乱しただけでなく、行動にも原因があったからだと思いますが。

エイブラハム　それは驚くことではないね。宗教とセックスの問題は、人類の起源そのものにかかわっている。多くの人は、宗教はなぜ自分がここにいるのかを理解する助けになると思っている。その人たちは、自分がこの世にいる目的を理解したい、その目的を達成したいと考えている。そしてセクシュアリティは物質世界の身体に宿るための手段だ。

ほとんどの宗教は悪行や罪の証拠を探すために人間の行動を精査することで、すさまじいパターンの「抵抗」を提供している。そして宗教が悪行と名指しするものの多くは性的行動だ。自己を貶《おとし》める考えは、たとえ宗教的な講壇から発せられたものであっても、物質世界の自分と「見えない世界の内なる存在」との分離を引き起こす。それこそが「混乱」なのだよ。「源《ソース》」から厳しく切り離されている人たちだけが、敵意ある行動や暴力、性的攻撃を行う。そこには強力な関連がある。**そういう人たちは欠落に関心を集中しているので、自分にとって非常に重要なことを考えるとき、欠落の面に関心を注ぐのだ。**

どうして人は神やセックスを悪用するか？

ジェリー　もう一つ気づいたことがあるのですが、どういうわけか、わたしたちの社会では人が本当に怒ったとき、暴力的になったとき、誰かを脅そうとするとき、あるいは本気で誰かの気持ちを傷つけようとするとき、セックスや宗教に関係する言葉を使って罵倒しますね。最悪の気分になればなるほど、性的な言葉や宗教にかかわる言葉を軽蔑的に使って、気持ちを爆発させるようです。

エイブラハム　それは、欠落に関心を集中していると――だから「源《ソース》」と切り離されていると――自分にとっていちばん意味のある、あるいは重要なことを選んで、その欠落の面に目を向けるからだよ。

メディアはどうして苦しみは伝えても、喜びは検閲するのか？

ジェリー　それから、これも気づいたことですが、わたしたちの社会ではテレビや映画が暴力や破壊、流血沙汰を――人間の身体を破壊するような恐ろしいことまで――描くのはまったくかまわないが、セクシュアリティや喜びを見せるのは適切ではないとされているようです。どうして憎悪や怒り、苦痛を我慢するが、喜びは見たくないということになったのか、理解できません。

エイブラハム　それは、憎悪や怒り、苦痛は見たいが、喜びは見たくない、ということではない。それどころか正反対だ。人々はいい気分になりたいと思い、成功や美や楽しいことを見たいと願っている。

多くの人たちは、望まないことに関心を向けるせいで、望まないことを引き寄せている。この問題の核心には「引き寄せの法則」に対する誤解がある。あなたがたの社会の人々は自分が望まないことに闘いをしかける。テロとの闘い、エイズとの闘い、10代の妊娠との闘い、暴力との闘い、ガンとの闘い――ところが、どれもみなどんどん大きくなるばかりだ。それは望まないことへの関心が、望まないことを増大させるからだよ。

「引き寄せの法則」を理解しているかどうかは別として、映画製作者は人々が望むことより望まないことを見るほうに惹かれるのを知っている。確かにそうなのだが、それはほとんどの人たちのなかで望まないことの波動が強烈に活性化されているからだ。平均的な人たちの人生について尋ねると、きっと自分の暮らしや世界の美しさではなく、うまくいかないことについて饒舌に語るはずだ。

それに世界は怒りや憎悪に傾いているといったん思うと、あなたの「波動」はもう世界の美と一致しなくなる。そこであなたが引き寄せる世界はあなたが思っている方向にますます傾く。自分の周りの世界の肯定的な側面のリストを作る者は誰でも「波動」を鍛えて、引き寄せの作用点を前向きの方向に定めることになる。一方、映画製作者たちは人々が引き寄せる映画を作り続けるだろう。

思い出してもらいたいのだが、幸せな人生経験をしたいと思って、社会がまともになるのを待っていたら、非常に長い間、待っていなければならない。幸せな人生経験をしたいと思って、かかわりのある誰かがまともになるのを待っていたら、非常に長い間、待っていなければならないよ。

あなたがたは完璧さを発見するためにこの世界にいるのではない。完璧さを創造する、あるいは引き寄せるためにこの世界にいるのだ。人生のコントラストは、あなたが楽しくない映画とよぶものでさえ、何を望まないかをはっきりさせてくれるし、だから何を望むかもっとはっきりする。自分が望むものに関心を集中し、**自分が望むものに「波動を一致」させ、自分が望むものに向けて引き寄せの作用点を鍛えなさい。あとはあなたの世界が望むとおりになるのを見るだけだ。**

一夫一妻制：自然か、不自然か？

質問者　わたしが気になるのは一夫一妻制なんです。わたしはそういう社会で育てられましたし、そういう価値観を持っていると思うのですが、一夫一妻制には多大の苦痛や不安がつきまとうことも知っています。なにより、同じことを望む相手を見つけなくてはならず、それから相手が望むことをコントロールしようとしなければならない。それは少しも楽しいことじゃないですし……

エイブラハム　他人をコントロールしようとするのは楽しくないだけでなく、不可能だ。人はよく、自分が本当に望んでいるのは一夫一妻制が正しいのか間違っているのかを明らかにする決定的なルールだ、そうすればルールを守るか破るかになるが、少なくとも何がルールかはわかる、と考える。そこであなたがたの社会では、ルールが何度も何度も変更されたり元に戻ったりしてきた。現在では世界のどこに住んでいるかでルールが違う。だが、わたしたちが理解してほしいのは、「見えない世界」からこの世界にやってきたとき、あなたがたにはたった一つの生き方を見つけて、それが正しいと人を説得したり強制したりする意図はまったくなかった、ということだ。あなたがたは、世界は十分に広く、欲望や信念、ライフスタイルの創造についてさまざまな相違があってもかまわないことを理解していた。

そこで、同じことを望む相手を見つけなくてはならないという、さっきの質問の最初のポイントに戻ろう。あなたの願望に同意する人といっしょになれば素晴らしい関係ができる。さらに、あなたがたがともに暮らすこの地球上にはたくさんの人がいるから、あなたとあなたの願望に合う人を見つけるのはそう難しくはないだろう。だが、自分が望むことに合った人を見つけようとしているたいていの人がつまずくのは、自分自身が自分の願望と調和していなければ、そういう相手を見つけることもできないからだ。

自分を裏切らない人が見つかるだろうかと心配している人は、そんな人を見つけられない。自分のなかでいちばん活性化しているのが、裏切られるという不安の思考だからだ。夢見る配偶者を見つけることが難しいのは、そういう相手がいないからではなく、日々放出している自分自身の思考が自分の願望と対立しているからだ。

未来の人間関係について常に気分のいい思考をしているなら、いつも人生のなかで発見した願望と自分が一致している。そういう状況であれば、あなたの願望に合った人だけが引き寄せられてくる。そういう状況ではコントロールはまったく必要ない。

質問者　それでは生涯に一人とだけ関係を持つことは、わたしたちにとって「自然」なのでしょうか？　それとも文化や宗教によって押し付けられたものですか？

エイブラハム　いろいろなことについていろいろな人と交流する、それがあなたがたの意図だった。セクシュアリティについてたった一人の人と経験することを選ぶか、複数の人、あるいはたくさんの人と経験することを選ぶか、それは個々の問題にすぎない。それにあなたの考え方は常に変化しているはずだ。

ただし、人々の行動を制約する規則や法は常に「源《ソース》」との結び付きが断ち切られたところで生まれることを指摘しておきたい。言い換えれば、役人や指導者や支配者が社会から何かを消し去ろうとして法律や規則を制定するとき、彼らの関心は普通、社会の望ましくない側面に向けられている。だから、法律を作って強制しようとしても、最小限のコントロールしかできない。自然な法則に逆らっているからだ。**生きとし生けるもののなかにあるいちばん強力な力は、それぞれが自由であるという認識なのだから。**

素晴らしくないことにまったく触れたことがなければ、本当に素晴らしい関係とは何かわかるはずがない。現在あなたがたの星・地球に存在する最高の関係は、素晴らしくない関係の集まりから生まれた。他人との触れ合いを一つひとつ経験するなかで、あなたがたは何が望ましいかという願望のロケットを発射し続ける。**そして、その願望の成就と「波動が一致」したとき、そのときにだけ、人生の旅路のなかで積み重ねてきた意図にぴったり合う人との出会いを「許容・可能」にすることができる。**

セックス、芸術、宗教、一夫一妻制

質問者 さきほどジェリーがセックスと宗教で混乱して入院することになったという精神病院の患者たちのことを言っていましたが、それに関連してお聞きしたいと思います。わたしはアーティストなのですが、すべての偉大な芸術のインスピレーションのもとはセックスと宗教だ、と聞いたことがあります。さきほどからのセックスの話のなかで気づいたのですが、わたしが思う究極の関係とは創造のエネルギーとセクシュアルなエネルギーの完璧な融合なんです。だからあるべきセックス、してはならないセックスについて社会がどう言おうとも、わたしとしては一人の人との間で起こるエネルギーの融合のほうがずっと強烈で甘美だと感じるのです。

エイブラハム　それはすべてにあてはまることだ。なんらかの前向きなことに前向きな関心を集中して、自分のなかの「源《ソース》」と完全に調和しているとき、あなたのなかのエネルギーも調和するから、それは素晴らしい経験になる。だがここで言っているのは、まず前向きな関心によって「源《ソース》」と調和しようということで、恋人は一人がいいか大勢いたほうがいいかという問題ではない。

だいたい多くの性的経験を求める人たちは自分が何を望むのか、完全にはわかっていない。まだデータを集めている最中だから、それは別に悪いことではないがね。

質問者　わたしは自分が求めるのは一夫一妻制というよりも、「生涯のパートナー」だと思っています。

エイブラハム　生涯のパートナーと考えるのも、それはそれでいいかもしれない。だが、人生のさまざまを生きるなかで、あなたがたは自分の願望をますます明確にしていくし、常に新しい願望のロケットを打ち出すだろう。だから、もっと生産的で長続きのする約束は、生きることをきっかけに発見する拡大・成長にいつも調和していよう、ということではないか。

言い換えれば——愛していっしょに暮らしている、あるいは結婚している相手も含めて——人生のさまざまなことのすべてを生きるなかで、あなたはもっといいものを求める願望のロケットを発射する。そして、あなたの「見えない世界のソースエネルギー」の部分がその求めを受け止め、「本当のあなた」の波動のなかに組み込む。その拡大・成長と歩調を合わせようという意志、それが幸福への真の道なのだ。

もちろん、自分のなかの「源《ソース》」といつも調和している人たちは、パートナーにも愛と調和のインスピレーションを与え続けるだろう。だからわたしたちは、生涯続く素晴らしいパートナーシップを求めるなとか、そんなものはあり得ないと言っているわけではない。ほかの関係が満たされたものであり続けるには、まずあなたと「見えない世界のあなた」との関係が調和していなければならない、と言っているのだ。

多くの人たちは愛を失うことを恐れて、結婚するときに「死が二人を分かつまで」と誓い、望まないことから自分を守ろうとする。これはわたしたちが説明していることとは正反対だね。

究極の性的経験とは？

質問者　「セックスの力」って、なんなのでしょうか？　わたしにとって究極の性的体験とは誰かとの完璧な融合、可能なあらゆるレベルでの感覚的、霊的、感情的な調和なのですが。そのときわたしは自分の境界線が薄れて、自分が拡大していくと感じます。

エイブラハム　性的体験がきっかけで前向きに関心を集中し、それによって「源《ソース》」と調和しても、あるいは既に「源《ソース》」と調和していて性的体験をしても——どちらにしても重要なのは「源《ソース》」との調和だ。

あなたは、ケンカの最中にはそんな体験はできないと気づいたことがあるだろうか？　配偶者の欠点を気にしていたり、自分に不安や不満を抱いているときも、そんな体験はできない。

物質世界の存在であるあなたがたは、「ソースエネルギー」つまり世界を創造しているエネルギーの延長だ。時間をとってその純粋で前向きなエネルギーの周波数にしっかりと波長を合わせ、それから芸術や愛の行為に関心を向ければ、あなたは世界を創造するエネルギーが自分を通って流れていくのを経験する。それが、あなたがとらえようとしているセックスの力だ。**素晴らしい性的体験とは実際の肉体的交渉というよりも、自分の真の「創造的なエネルギーの流れ」との調和なのだよ。**

質問者　わたしの今の配偶者は、自分という存在の「見えない世界」の視点に非常に敏感です。彼は瞑想し、関心を「スピリチュアル」なことに集中することを望んでいるのですが、性的なことをすると卑小な肉体的存在になってエゴをまとわなければならないと感じると言います。そうなると、もっと偉大で超自然的な「見えない世界」の経験の感覚が失われるのだそうです。

エイブラハム　そうだとすれば、あなたの配偶者は物質世界の性的な部分だけではなく、あらゆる側面でトラブルを抱えているね。そこで、もう一つの間違った思い込みを説明しなければならない。

間違った思い込み その20

物質世界に関心を集中していると、スピリチュアルな面が薄れる。

あなたがたは「源《ソース》」からやってきた創造者で、文字どおり「源《ソース》」の延長だ。この物質世界に焦点を結んでいるとき、あなたがたは「源《ソース》」の創造に関心を集中している。そして、コントラストを探求し常に改善を求めようとする意志によって、「源《ソース》」の創造をさらに豊かにし続けている。物質世界の存在であっても「源《ソース》」と分離しているのではないし、セックスしても「スピリチュアル」な結び付きが薄れるわけではない。望まないことに抵抗し、「源《ソース》の波動」と違う「波動」パターンを身につけること、それが「源《ソース》」との結び付きを断ち切る。

あなたがたの本質であるスピリットが、あなたがたを通じて物質世界の人生に流れることを「許容・可能」にすることほど、スピリチュアルなことはない。スピリチュアルかどうかは、関心の対象や活動によって決まるのではない。そのときの「波動」の選択によって決まる。

「源《ソース》」はあなたがたを愛しているから、あなたがたが自分を愛していないときにはスピリチュアルではない。「源《ソース》」はあなたがたが地球を共有するほかの人たちを愛しているから、あなたがたがほかの人たちを愛していないときにはスピリチュアルではない。「源《ソース》」はあなたと「すべてであるもの」が拡大・成長することを理解しているから、あなたがたがあらゆることについて完全に完璧な場所に停止すべきだと考えているときにはスピリチュアルではない。自分には価値がないと感じているとき、あなたがたは「源《ソース》」と調和していない。

だが、今までも話してきたように、配偶者の「源《ソース》との結び付き」を頼りにして「源《ソース》」と結び付こうとしてはいけない。自分で関心を方向づける力を活用して、「本当の自分」と調和し続けなくてはいけない。あなたは配偶者が拡大・成長の感覚を失っていることを取りざたしているが、それがあなたのなかでも一時的な喪失を引き起こしている。

実は、ある行動が正しいか間違っているかを決めようとしても、外からではわからない。自分が「スピリチュアリティとの結び付き」を維持しようと決意すること。それが配偶者にも同じことをするようにインスピレーションを与えるいちばんいいやり方だ。それでも性的なことにかかわると自分が望む「スピリチュアルな」人間になれない、とあなたの配偶者が信じ続けるようなら、「引き寄せの法則」によって、彼はあなたの経験からいなくなるだろう。あなたが「源《ソース》」との調和を「許容・可能」にする思考に関心を集中し続ければ、「引き寄せの法則」によって、「源《ソース》」と調和しているだけでなく、セックスについてもあなたと価値観や願望を共有できる相手が現れるだろう。

結婚はそれぞれ違うが、よりよい結婚はない

質問者　わたしは二人の夫と四度、結婚しました。再婚するたびに、今度のほうがいい結婚になるだろうと思ったのです。でも違う結婚ではありましたが、よりよい結婚ではありませんでした。さっき自由について話されましたが、今振り返って、わたしは結婚するたびに自由になりたいという願望を強くしたのだと思います。

夫の一人はこう言いました。「君は本当は恋愛にしか興味がないんだ」。ある意味ではそのとおりでした。わたしは妻であるよりも愛人でいたほうがよかったかもしれないと思います。結婚すると、二つの違った面が現れるんですね。一つはセクシュアリティで、もう一つが結婚です。結婚すると子どもができるし、義理の親族はいるし、財産や責任や義務や……

エイブラハム　だが、何かを何かと分けることは実は不可能なのだよ。すべてのことの核心はあなたであり、あなたの感じ方なのだから。あなたが人生で何か不愉快な望まないこと

に関心を注いでいれば、それはほかのすべての面に広がっていく。

質問者　そのとおりです。だからどの結婚でも、やがては自由を望む気持ちが圧倒的に強くなって、別れました。あなたがたは自由と成長と喜びが人生の基本だとおっしゃいましたが、そのとおりだとわたしも思います。でも、結婚は喜びを与えてはくれませんでした。

エイブラハム　今振り返ってみて、前向きないい面を見るチャンスもあったのに、あなたがネガティブな面にばかり目を向けていたから、それが主たる経験になったのだ、とわかるだろうか？

質問者　ええ、でもわたしは閉じ込められ、束縛されて、いつもいつも義務を果たさなくてはならないことにうんざりしたんです。義務は果たしましたし、それも上手にやっていましたが、でもわたしが望むのは自由であること、自分だけの自分であることでした……

エイブラハム　あなたが求めていた「自由」とは、実はネガティブな感情から解放されること、嫌な気分から解放されること、いい気分になれないことから解放されること、「本当の自分」でいられないことから解放されることだった。

わたしたちが理解してほしいと思うのは、どの瞬間でも、たとえもう自分にはどうしようもないと感じるときでも、もっと気分のいいことを考えるか、それとも嫌な気分になることを考えるかを選ぶ自由があなたにはある、ということだ。あなたには「源《ソース》」の目を通じて見るか、それとも「源《ソース》」から外れた見方をするかを選ぶ自由がある。束縛されている、自由ではないとあなたが感じたのは「波動」がずれていたからで、そのときの関心の対象が「波動」のずれを引き起こしたせいではない。これは重要な違いだ。

あなたは願望を拡大・成長させる経験から自由になりたいと思っているのではなくて、自分の拡大・成長を阻む思考からの自由を求めている。束縛されている、自由ではないと感じたと言うが、それは本当は自分自身の拡大・成長に歩調を合わせられなかったからだ――その拡大・成長は、実は人間関係によって可能になったのだよ。

あなたは実際的な忙しさということでは、今だって以前と同じくらい多忙だと気づいたことがあるだろうか？（質問者：実は前より忙しくなっています）。それでも今のほうが自由だと感じるのは、あなたが欠落に関心を向けていないからだ。

わたしたちは、あなたが別の道を選ぶべきだったと言っているのではない。離婚すべきだったともすべきでなかったとも言ってはいない。ただ気づいてほしいのだが、どの瞬間でもあなたの感じ方は一つ、たった一つのことを示している。そのときの思考と波動があなたのなかの「源《ソース》」の思考や波動とどういう関係にあるか、ということだ。そして誰かがいいパートナーになろうとどれほど努力してくれても、あなたの思考の不調和をあなたに代わって調整することはできない。

確かにいっしょに暮らしやすい人はいるが、それでも相手を幸せにできるかどうかを指針として自分の行動を決めないほうがいい。あなたをいい気分にさせるためならどんなことでもする、という善意の人は、実はあなたが「より広い視点」と調和するよう思考を方向づけることを、むしろ妨げる。あなたの自由と喜びと成長の感覚は「見えない世界」の部分との結び付きを基礎としているのだから、その大切な仕事からあなたを遠ざけることはなんであれ、あなたのためにはならない。

エイブラハムが提案する「パートナー」の誓い

質問者　エイブラハム、わたしは3年前からある宗教に入っているのですが、そこでは「スピリチュアルな人」は肉体的な接触を持たず、愛の行為もしない、と教えています。身体はバッテリーのようなもので、誰かと性的に接触するとエネルギーが浪費されて減ってしまうのだそうです。

エイブラハム　「エネルギーを浪費して減らし」てしまう方法はただ一つ、望むことの欠落に関心を注ぐことだ。あなたがたのなかの「源《ソース》」は「本当のあなた」、あなたが既にそうなっている自分、そして望むすべてに関心を向けている。だから、あなたが違うほうへ関心を向けると、結び付きが失われる。自分はダメな人間だという思い込み、それが不調和を引き起こすのであって、実際の行動が原因ではない。

理由はなんであれ、あなたが性的体験をして強い罪悪感を抱いたとすれば、その体験はあなたにとって価値がない。それはエネルギーの浪費になる。だが性的体験をしてとてもいい気分になるなら、あなたの後ろには「宇宙」のパワーがついている。

質問者　今日聞いたことを25年前に知っていれば、と思います。わたしは「あれもダメ、これもダメ」という育てられ方をして、人生の唯一の責任は結婚して子どもを産み、夫に仕えることだと信じてきました。結婚のときの誓いもそうでした。生涯この男性を愛し、尊敬し、従います、というのです。今わかったことをあのころ知っていたら、全速力で逃げ出していたでしょうに。

エイブラハム　それを結婚とよぶかどうかは別として、完璧な「パートナー」の誓いを提案しよう。

こんにちは、友よ。わたしたちは共同創造者としてここにいる。結婚して関係を結ぶにあたって、わたしは二人が考えられるすべての面で満たされることを期待する。わたしは自分が何者で、あなたが何者であるかを発見したいと願う。だがもっと大切なのは、わたしが幸せであって、だからこそあなたにも幸せのインスピレーションを与えられることだ。

わたしはあなたの人生の責任を負うことはしない。わたしの人生はわたしの責任だ。そしてこれから楽しい人生を過ごすことを楽しみにしている。この生涯をともに歩むことで、わたしたちは究極的にあらゆる前向きの経験をすることができるだろう。それをすることが、わたしの意志だから。二人が楽しいときを過ごしている間は、ともにいよう。そして楽しいときを過ごせなくなったら、――気持ちのうえで、あるいは実際に――離れていよう。ネガティブさがわたしたちを分かつまで。

わたしたちは結婚や現在のパートナーシップを解消することを勧めているのではない。だがなによりも大切な関係を――あなたと「見えない世界のあなた」の関係を――整えることを勧める。あらゆることや人についての思考があなたのなかの「源《ソース》」の視点と調和すれば、あなたは「本当の存在」と真に調和したと感じるだろう。そしてそのとき、そのときにだけ、あなたは他人に何かを提供することができる。**真の自己と調和できるくらいに自己中心的でなければ、何かを与えることはできない。**

Part 4

親子と「引き寄せの法則」

コントラストに満ちた世界で前向きの親子関係を創造する

子どもの行動を監督する大人の役割

調和のとれていない大人の監督や「波動」の介入なしに、小さな子どもたちが互いに交流できれば、子どもたちは自然に自分の「より広い視点」と調和し、お互いに前向きなつきあいをするだろう。お互いの違いを観察して知っても、それに関心を集中して対立することはない。だから、前向きで効果的で楽しい共同創造ができるはずだ。だが「より広い視点」に調和していない大人が登場すると、前向きなダイナミズムが消えてしまう。

多くの大人は、子どもたちだけにしておくと正しい道から外れるだろうと信じている。だから大人が介入し、間違った行動と信じるものの証拠を探し、子どもたちが望ましくないほうへ進まないように導こうとする。だが、「間違った」行動に関心を注ぐように促されれば、あるいは非難の目で見ている大人を観察しているだけでも、子どもたちは影響を受け、愛に満ちた肯定的な「内なる存在」から遠ざかっていく。

目上の人でも誰でも、その人たちを喜ばせる行動をあなたに期待したり要求したりするなら、あなたを「感情というナビゲーションシステム」から引き離そうとすることになる。人間関係の破綻やあらゆる不満の理由、病気や失敗の原因は、この信じがたい誤解から発している。**本来あなたがたは他人の肯定や否定を指針として行動するつもりはまったくなく、あなたとあなたの「源《ソース》」とが調和しているかどうかによって導かれるべきなのだ。**

子どもたちの集団に、自分自身の「源《ソース》」と調和していて、子どもたちを行儀よくさせることで自分がいい気分になろうなどと思わない大人が加われば、子どもたちはネガティブな影響を受けないし、その大人は――自分自身の力による例を示して――子どもたちが本当の自分と調和するように仕向けるだろう。**自分自身の「より広い視点」と調和している人たちが二人あるいはそれ以上集まれば、その出会いは楽しくて生産的で、生命力に満ちたものになる。**

子どもたちの経験から心配性の大人の監視を取り除いても、本来の「よいあり方《ウェル・ビーイング》」をすぐには取り戻せないかもしれない。子どもたちは大人から「波動」のパターンを学び、お互いにそのパターンの枠組みで行動しているからだ。だが、あなたがたの「見えない世界の部分」「内なる存在」はいい気分でいるから、老人だろうと子どもだろうと年齢にかかわりなく誰でもいい気分になりたいと望んでいる。それなのにいい気分になれないときには、いつでも何かがひどく調和から外れている。子どもたちのほうが周囲の大人よりも流れに抵抗する思考を実践した期間が短いから、本来の調和の状態に戻って、その状態を維持するのも、大人よりは容易だ。

大人がいない場合の子どもたちどうしの関係は？

心配性で、自己防衛的で、人をコントロールしようとし、流れに逆らう。大人が与えがちなそんな影響をすべて子どもたちの集団から取り除いたら、子どもたちどうしはどんなふうにつきあうかを考えてみよう。

子どもたちは五感を使ってお互いを慎重に観察し、検討するだろう。そしてビュッフェテーブルに並べられた料理のように、さまざまな個性や信念や意図があることを知るだろう。ビュッフェテーブルに自分が食べたくない、あるいは体験したくない料理があっても、あなたは不安になったりしないはずだ。そんなことはおかまいなしに、自分が好むものを選んで皿にとるだろう。それと同じで、好ましくない要素を押しのけることを教えられていなければ、子どもたちはただ自分が望む要素のほうへ引き寄せられていく。ある時点で似たような関心や願望を持った子どもたちどうしが集まり、有意義で満足のいく交流をするだろう。違う子どもたちどうしが寄り集まることはないから、結果として調和のとれた環境ができる。

そんな環境は見たことがないと言う人たちは多いし、確かにそのとおりだろう。また、そんな環境はめったにあるはずがないと言う人もいるが、それも当たっているだろう。なぜなら、子どもを自分の人生経験に迎え入れて育てている大人の恣意的な影響を受けることなく、自分で選択する自由を享受している子どもは稀有だからだ。だが、自分の「ナビゲーションシステム」とその働きを（自分は「見えない世界の意識」の物質世界への延長で、物質世界の視点と同時に「見えない世界の視点」が存在していること、自分はなによりもまず自分自身の「ナビゲーションシステム」との調和を望んでいることを）理解すれば、物質世界のどんな環境、教室、状況、あるいは人間関係のなかに置かれても、調和を見いだすことは可能だ。

あなたもまず自分自身の調和を実践すれば、さきほど言った子どもたちと同じになれる。好ましくない側面を押しのける必要があると考えず、また押しのけたいという衝動も感じないで、人と交わることができる。あなたも（あなたの「内なる存在」と同じように）自分についても他人についても最善の面だけを見ようとするだろうし、だから強力な「引き寄せの法則」の働きで望むものだけを引き寄せることができるだろう。

父親、母親の自然な役割とは？

ジェリー　あなたがたの視点からすると、子どもたちの成長における父親の第一の、というか自然な役割はどのようなものですか？

エイブラハム　父親と母親の第一の役割は、物質世界の経験のなかで子どもに「見えない世界のソースエネルギー」への道を開いてやることだ。

ジェリー　すると、父親と母親の役割には違いはないとおっしゃるのですか？

エイブラハム　重要な点では違いはない。どんな影響を与えるかを考えれば、違いは自ずと明らかだろうが、親の影響はあなたがたの社会で考えられているほど重要ではない。最善の場合、新たに身体に宿った生命が新しい環境で新しい人生に適応する最初のころに安定した環境を与えてやれる。最悪の場合には、子ども自身が選択して自由を知る能力を阻害する。だから、親の影響が子どものためにならない場合も多い。親は人生にネガティブな予想を抱いていることも多いし、だから子どもにもネガティブな影響を与えてしまう。

完璧な親とは?

ジェリー　完璧な親とはどういう親だとお思いになりますか?

エイブラハム　親が子どもにしてやれる最高のことは、子どもがまだ小さくて一人では生きられないように見えても、実は大きな意欲と目的と能力を持って物質世界の環境に生まれ出た強力な創造者であると理解することだ。親が子どもにしてやれる最高のことは、子どもの輝かしい資質を見抜き、いい面だけに関心を向けることだ。どんな親でも子どもにしてやれるいちばん大事なことは、子どもの内なる「ナビゲーションシステム」の働きを促してやることだろう。

あなたがその質問をしたのは、親たちが子どもと満足できる関係を作るにはどうすればいいか、指針を与えたいからだろうし、わたしたちももちろんそうしてあげたい。だが、同時に理解してほしいのは、この時空の現実にやってきた子どもたちは決して完璧な親のもとで羽を敷き詰めたふかふかの巣に生まれ出ようと思ってはいなかった、ということだ。

この世に生まれ出て他人とつきあい、多くの人間関係につきものの不調和を経験すると、あなたがたは自分の感情や自分の人生について他人を責めてしまいがちだ。だが、周囲の人たちからネガティブな影響を被る必要はないことを、「見えない世界の視点」では完全に理解している。それどころか生まれる前、あなたがたは誰一人として完璧な環境に生まれたいとは思っていなかった。

ほとんどの親は、子どもにいちばんいいことをしてやりたいと思っている。そして子どもにとって何がいちばんいいかについては、さまざまな意見がある。わたしたちの視点からすれば、また物質世界の身体に宿る前の子どもの視点からすれば、あなたがたが子どもたちにしてやれるいちばんいいことは、自分のなかの「源《ソース》」との調和を心がける人間として明白な実例を見せてやること、そしてあなた自身という実例を通して「感情というナビゲーションシステム」の効果的な活用方法を教えてやることだ。

親子の不調和の最大の原因は、親が子どもの内なる智恵と目的を誤解していることにある。そして、なぜ親がそんな誤解をするかといえば、自分自身について誤解しているからだ。言い換えれば、世のなかは脅威に満ちていて危険で不快なことばかりだと親が考えていれば、そしてそんな世のなかで自分を守ろう、自己防衛しなければならないと感じていれば、真の理解やパワーとの調和から外れてしまう。そういう状況では、子どもにも同じような自己防衛の姿勢を植えつけることになる。

だが、自分自身の「感情というナビゲーションシステム」の価値を認識している親、まず「より広い視点」と調和しようと心がけている親、自分のために回転している創造の「エネルギーのヴォルテックス」の性質を理解している親、そして「本当の自分」との調和をなによりも優先している親は、子どもにも自分自身の「ナビゲーションシステム」に従いなさいと促すことができる。

大勢の人が自分の失敗や不幸は親の責任だと親を責めているのは、親に指針や支援を求めるように育てられたからだ。どれほど善意の親であっても、当人の内側から生じる指針や支えの身代わりはできない。だが、話はそれだけでは済まない。**あなたがたは自分を取り巻くコントラストの細部を生きて、常に拡大・成長を欲する「波動」のロケットを打ち出しているのだから、自分もそのロケットに従っていって拡大・成長の全面的な展開を「許容・可能」にしなければいけない。そうでないと幸せにはなれない。**それなのに親が、おまえの感じ方は重要ではない、感情が教えることは無視しろ、本当に重要なのは親が示す意見やルールや信念に従うことだと教えて、その自然なプロセスを邪魔したら、むくむくと反抗心がわき起こっても不思議ではない。その反抗心はあなたが意図的、意識的に「本当の自分」と調和するまで続くだろう。

だから親が子どもにしてやれる最善のことは、子どもの行動や思考をコントロールしようという考えを捨てることだ。そして、子ども自身の「波動の預託口座」「創造のヴォルテックス」「感情というナビゲーションシステム」に気づかせてやることだ。こうしたことを子どもに理解させるために親にできることはたった一つ、自分自身がそれを十分に理解することしかない。

子どもでも親でも「恐怖」や「怒り」や「失望」や「恨み」などの空虚な気分を感じるのは、既に拡大・成長している自分との結び付きを「許容・可能」にしない波動の状態でいる場合だけだ。そういうネガティブな気分は自由を失ったと感じているしるしで、なぜ自由を失ったと感じるかといえば、「既にそうなっている本当の自分」が自分のなかで十分に活性化することを「許容・可能」にしていないからだ。常にそれしかない。

興味深いことだが、たいていの親が――世のなかを観察し、そのさまざまを評価し、正しいか間違っているかを判断し区分けして、それから子どもを望ましくないことから引き離そうとして――物質世界の経験のなかへ生まれ出たときの親子両方の意図とは正反対のことをしてしまう。

だから、わたしたちに言わせれば、楽しくて価値のある親のあり方とはこういうものだ。

わたしは子どもがわたしと同じように素晴らしい経験を生み出そうとして物質世界の環境に生まれ出た力強い創造者であることを理解している。コントラストに満ちた人生を生きて自分の好みを決めていくことが子どもの利益になるだろう。自分が何を望まないかをはっきりと気づかされる経験をするたびに、それとは反対のもっといいことを求める波動が放出され、子どもの「波動の現実」「創造のヴォルテックス」のなかで実現するだろう。子どもが自分の「感情というナビゲーションシステム」に関心を向け、できるだけ気分のいい思考を心がけていけば、自然に「既にそうなっている本当の自分」との調和に向かい、「本当の自分」を十分に知ることができるはずだ。そのプロセスのなかで、子どもは自分自身の現実を創造する存在であることに満足を覚えるだろう。わたしは親として、子どもが完全に自分らしい自分になっていくよう支援するつもりだ。

親子の「内なる存在」の関係は？

ジェリー　ちょっとわたしたちが物質世界の現実に生まれ出る前に戻りたいのですが。親子の「内なる存在」はどういう関係なのでしょうか？

エイブラハム　物質世界に生まれ出る人は誰でも「ソースエネルギー」の延長だ。だからその意味でも、誰でもすべての人とつながっている。そして、すべての関係は永遠だ。いったん関係が樹立されたら、決して途絶えることはない。あなたがたはエネルギーの塊、あるいは意識の集団とよばれるような「見えない世界」からやってきた。そして、物質世界の一族の人々との間で、誰でも例外なく共通の「見えない世界の波動のルーツ」を持っている。

ほかの人たちと共同創造しようというあなたがたの本来の意図には、依存的な面はまったくない。あなたがたはさまざまな人間関係を通じてさらに素晴らしい創造のアイデアが生まれることを知っていたし、人間関係から生まれる新しいアイデアを期待してとても楽しみにしていた。子どもが生まれる前、さらには親が生まれる前に、あなたがたみんなが未来の触れ合いを期待し、そこから価値が生まれることを知っていた。「見えない世界の結び付き」を理解していたから、なによりも自分の拡大・成長を目指しており、だから後ろを振り返ったり、ルーツをたどったり、安定と安らぎを求めようとは思っていなかった。あなたがたは安定し、安らいでいた。

ジェリー　生まれる前の親との結び付きを意識することには、何か価値がありますか？

エイブラハム　「見えない世界」の始まりを振り返ろうとしても、たいした価値はない。それは物質世界にいるあなたがたには十分に把握し理解できるものではないからだ。実感できないことを考えても、物質世界で意図していたことと外れるだけだ。もっと重要なのは、この物質世界の現実で人々とともに経験することを通じて力強い欲求を出すこと、そしてお互いの拡大・成長のダイナミックなきっかけとなることだ。拡大・成長した自分自身のバージョンと調和しようとする努力を通じて、あなたは親の拡大・成長したバージョンとも調和するだろう。その調和から生まれる満足はとても大きい。そしてその調和は、お互いに前向きな側面を発見して高く評価する理由をできるだけたくさん見つけるというシンプルなプロセスを通じて達成できる。

家族には生まれる前の共通の意図があるか？

ジェリー　わたしたちの関係が永遠だとすると、生まれてからの親や子どもとの関係について、何か具体的な意図があるのでしょうか？　それとも、それはもっと一般的なものですか？

エイブラハム　ほとんどの場合、あなたがたの意図は自分の創造力と「宇宙の法則」を理解するという意味で一般的なものだ。そしてこの時空に飛び込んで物事を引き起こし、コントラストを経験し、創造しようという熱意を抱いている。あなたがたにとって親は、物質世界での経験につながる素晴らしい道であり、いわばこの世に慣れるまでの間、安定した環境を与えてくれる存在だ。あなたがたはなによりも物質世界の身体に宿って、思考や人生を今までよりはるかに先に進めるきっかけとなるコントラストに満ちた環境を十分に経験したいと考えていた。親やそのほかのすべての人との関係はコントラストの素晴らしいベースであり、だから求めるための素晴らしいベース、拡大・成長のための素晴らしいベースでもあると期待していた。そして、細かいことは生きることを通じて明らかになると知っていた。そのすべてを事前に知っていようとは思っていなかった。

誰にいちばん責任があるか？

ジェリー　親と子の間の責任は、この地上のほかのどんな人に対する責任とも違わないと、そうおっしゃっているのですか？

エイブラハム　そのとおり。あなたがたはこの物質世界の経験のなかへ、地上のあらゆる人との共同創造者として生まれてきたのだ。

親は子どもから何を学べるか？

ジェリー　生徒は教師から学ぶが、教師だって多くの場合、生徒から学びますね。親にもそれと同じことが言えますか？　親も子どもから学ぶのでしょうか？

エイブラハム　あなたがたのなかで疑問が生まれるとき、即座にそれに対する答えが「波動の現実」のなかで形づくられる。だからお互いの――親と子や教師と生徒、人と人との――かかわりのなかで疑問や問題が答えや解決策を生み出していることに気づくのは、ごく自然なことだ。学ぶこと（わたしたちは拡大・成長とよびたい）は、すべての共同創造の結果なのだよ。

ジェリー　すると、わたしたちは自分では気づいていなくても学んでいるのですか？

エイブラハム　「本当の自分」と波動が一致していなければ――「波動のヴォルテックス」のなかに存在する拡大・成長した自分と波動が調和していなければ――自分の拡大・成長に気づくことはできない。あなたがたは常に拡大・成長している。だが、それについていくかどうかは、あなたがたしだいだ。いい気分でいればいるほど、自分の拡大・成長についていっているし、拡大・成長を意識できる。言い換えれば、「本当のあなた」は学んでいるが、「波動のヴォルテックス」のなかにいなければ学んでいることを意識できない。すべての経験は、あなたがたが気づいても気づかなくても、さらに多くの知識をあなたがたに与えている。

なぜ兄弟姉妹は同じ環境で違う反応をするのか？

ジェリー　同じ親から生まれた兄弟姉妹でも、そっくりには育ちませんよね。言い換えれば、一人は健康で幸せな、つまり成功した人に育っても、同じ家族の兄弟姉妹はとてもつらい人生を経験したりする。親の影響はほぼ同じはずだから、これは子どもがどう育つかについては親はたいした要素ではない、ということでしょうか？

エイブラハム　「見えない世界の自分という存在のより広い視点」と調和しようと意識的に心がけなければ、あなたが「幸せ」と言った恒常的な成功を維持することは不可能だ。ときには親や教師が触媒となって影響を与え、そういう方向に向かわせることもある。そして、誰でもいい気分になりたいと思って生まれてくるのだから、当然、その調和を求めたいと本能的に思っている。今の話で肝心なのは、その自然な傾向を妨げるような影響だね。子どもたちはいい気分のほうへ、「源《ソース》」との調和のほうへと自然に惹《ひ》かれていくのだから。言い換えれば、自然な傾向を放っておけば、それだけ早く子どもたちは調和に達するだろう。だが、善意ではあっても自己防衛的な親は、何が起こるかが不安で、自分の影響で子どもを「ナビゲーションシステム」から引き離し、子どもの自然な衝動を抑えこんでしまう。

ほとんどの親が信じているのとは逆に、親が子どものことを気にかけなければ子どもはよくなり、ネガティブな予想や心配がないため、子どもは自分と調和しやすくなる。

そこで、さっきのあなたの質問に戻ると、第一子が生まれたときには、たいていの親は善意だが過保護で、大騒ぎをしたり心配したりして、第二子以降よりもネガティブな影響を与えてしまうことが多い。

子どもにしても誰にしても、感じ方に影響する要素はたくさんあるが、いちばん考えなければならない重要なことは、こういうことだ。**その瞬間の思考はその人のなかの「源《ソース》」と調和しているか？** これがあなたがいちばん求める要素で、ほかの影響は二の次だよ。コルクを水中に沈めても手を放せば最短距離で水面に浮かんでくるのと同じように、あなたが「源《ソース》」と矛盾する思考で流れに抵抗するのをやめれば、「源《ソース》」の明晰さと幸福と成功と知識に戻れるだろう。

子どもたちは親に「似る」か？

ジェリー　母はよく「ああ、ジェリー、あんたはお父さんに似たんだわ」とか、「わたしの父親にそっくり」「叔父さんによく似ている」などと言いました。そう言われると強い反発を感じたのを覚えています。

エイブラハム　なぜ、反発を感じたのだと思う？

ジェリー　自分がそんなに誰かに似ていると思わなかった、ということもありますが、そういうことを言うのはたいていい、わたしの何かが母には気に入らないときだった、ということもあるんでしょうね。

エイブラハム　そう、そこに気づいてほしかったんだよ。あなたが感じた不調和は、お母さんがあなたを否定したために、「内なる存在」とまったく一致しない思考があなたのなかで活性化されたからだ。言い換えれば、あなたの欠点を指摘し、それが誰かの欠点でもあると言ったお母さんは、それが不幸な結果につながるよと脅すことであなたをコントロールしようとしたが、あなたの「内なる存在」はあなたについて全然違った意見を持っていた。あなたが嫌な気分になったのはその不一致のしるしだ。それが「感情というナビゲーションシステム」の働きだからね。暗い嫌な気持ちになるときには必ず、そのとき活性化された思考が（どうしてそう考えたかとは関係なく）あなたの「内なる存在」が知っていることと一致していないのだ。

ジェリー　今でも何かきっかけがあると、母親に欠点を指摘されたことを思い出します。

エイブラハム　そんなときは、今でも嫌な気分になるだろう。それは、あなたの「内なる存在」が今でもお母さんの言葉に賛成していないことを意味しているんだよ。

受け継いだ資質が未来の経験を決めるのか？

ジェリー　でも、わたしたちは子どもにいろいろな資質を伝えているんじゃないですか？肉体的な特徴が似ているのと同じように、そういう資質も受け継がれるのではありませんか？

エイブラハム　資質って、例えばどんなことかな？

ジェリー　精神力とか身体能力、ほかのさまざまな能力、健康なんかです。そういうことは、どのくらい今のわたしに影響しているんでしょうね？

エイブラハム　なんにしろネガティブな影響を受ける必要はないが、もしネガティブな影響を受けているとしたら、それはあなたが本当に望むことを否定する思考を活性化させているからだ。

否定的な予想を世代から世代へと伝えることはよくあるが、どの時点であってもそのネガティブな思考に気づいた者、暗い嫌な気分は「内なる存在」が賛成していないからだと気づいた者は、流れに抵抗するそんな思考を徐々に捨てていくことができる。その思考こそが、すべての不調や病気やネガティブな経験の核心にあるのだから。

「虐待」する親から子どもを引き離すべきか？

ジェリー　わたしが子どものころに今のようなルールや規制があったら、わたしみたいな子どもは親から引き離されて里親に預けられたでしょう。でも当時はみんな、そんなものだと思っていたようです。だから成長して家を出たあとに自分の育ちを振り返っても、そうひどいとは思いませんでした。当時でも、どっちかというと冒険と——興奮や変化に富んだ暮らし方だと——考えていたような気がします。だから、昔を思い出して、なんてひどい扱いをしたんだと両親を責めたりもしませんでした。あれはわたしたちみんなの共同創造のやり方だったのです。言い換えれば、わたしも自分の役割を知っていたし、親もそうだったんじゃないかな。でも今なら時代が全然違いますから、児童虐待は大問題ですね。

ホッケーやフットボールで、あるいはボクシングで挑戦を受けて、まさに虐待と同じ状況にわざわざ身を置く人がたくさんいますよね。わたしたちはみんな、もちろんわたしも、ある意味でそういう親の虐待を選んでいたという可能性はあるのでしょうか？

エイブラハム　よく聞いてくれた。というのも、自分が選んだスポーツで殴られる者と親に殴られる子どもは似ているなんて言ったら、きっと大勢の人が反対するだろうと思うからだ。だが、あなたの指摘は正しい。

人々が理解していないのは、あなたがたは何かを見て「そう、これなら好きだ！」と叫んで選ぶのではない、ということだ。あなたがたはあることに関心を向けることで、選択する。引き寄せがベースのこの宇宙では、好ましくないものに目を向けると、その関心によってあなたのなかで「波動」が活性化され、「引き寄せの法則」が働いて、似たものが経験のなかに引き寄せられてくる。

もちろん子どもが虐待されるというのは恐ろしいことだが、子どもが「本当の自分になる」自由を否定するのだって恐ろしいことだ。そして、あなたがたに理解してほしいのは、どんな場合でも虐待している側は――あなたがたの基準でどれほどひどい虐待であっても――虐待しているとき、自分自身の「源《ソース》」との断絶に苦しんでいるということだ。言い換えれば、親に虐待されて苦しんでいる子どもだけではなく、「源《ソース》」との断絶に苦しんでいる親も問題だ、ということだよ。

そういう状況では、物理的な虐待の場から子どもを引き離すことが最善の策のように見えるが、それだけでは問題は解決しない。それどころか、虐待の根源にある不調和はますます悪化するだけだ。自分の価値を感じられない親はますます自分をダメな人間だと思うし、もっといい気分になりたくて、たいていはもっとひどい虐待をするようになる。そして、虐待されてずたずたになっている子どものほうも、真に愛している人とのかかわりを断たれて、もっと不安定になることが多い。

児童虐待の問題は、人々が自分の感情を理解し、思考の方向をコントロールできるようにならなければ終わらない。自分を――「既にそうなっている本当の自分との結び付き」「内なる存在との結び付き」を否定して――虐待することをやめなければ、暴力はあらゆる形で残るだろう。

子どもたちはしなやかで回復力があるから、大人よりも楽に「源《ソース》」との結び付きを取り戻せる。あなたはこんなに虐待されていると指摘するソーシャルワーカーがいなかったから、あなたは虐待されても生き延びて、願望のロケットを自分の「波動の現実」へと発射した――そしてその経験から利益を得た。そこが、人がいちばん理解しにくいところだ。「なぜ、子どもはわざわざ虐待家庭に生まれてくるのか？　なぜ愛情深い神はそんなことを許しておくのか？」

そこでわたしたちが言いたいのは、あなたがたは羽を敷き詰めたふかふかの巣、見るものはすべて完璧という場所に生まれようとは思っていなかった、ということだ。あなたがたは多様性と変化を、さらには不調和さえも欲した。もっといい経験とは何かを決める機会が欲しかった。自分が創造者であることを知っていて、選択の役に立つ経験をしたいと思っていた。あなたがたは人生の日々を通じて学び、拡大・成長する。子どものときだけではない。

しつけをしないと、子どもは家事を手伝わないか？

ジェリー　エイブラハム、親子関係においてしつけとはどうあるべきなのでしょうか？　実生活の細かいことを――掃除とか、ゴミを出すとか――滞りなく片づけていくうえでのしつけというものをどうご覧になりますか？

エイブラハム　わたしたちは「しつけ」に賛成しない。というのは、しつけはほかの人間を「動機づけ」して何かをさせようと試みることだからだ。だが、そんなことは決してうまくはいかない。言い換えれば、親がきちんとした家庭環境を望み、気分よく手伝ってくれる子どもたちを心に描いていれば、願望と期待の「波動」が一致しているので、親のなかに「波動」の分離はない。そういう状況なら、親からインスピレーションを得た子どもたちは進んで手伝ってくれるだろう。「モチベーション」ではなく、そういう「インスピレーション」を勧めたいのだよ。

モチベーションはこんなふうに働く。親はやらなければならないことが山ほどあると感じ、手伝いをしない子どもたちに関心を向ける。親が目にするものは願望と一致しないので「波動」の不調和が生じ、それがネガティブな感情として受け止められる。いら立って怒りを感じた親は、しつけとして、言うことを聞いて手伝わないとひどいことになるぞ、と最後通牒を発する。子どもはその嫌な結果を望まないから、手伝おうという動機づけをされる。だが、子どもは「源《ソース》」との結び付きを失っているから落ち着きがないし、集中しない。手伝いもうまくいかないし、手伝わされることを恨む、というふうに続く。これもまた、「できない相談」の完璧な事例だ。

わたしたちが親なら、あるいは誰かに前向きの行動を起こさせたいと考えたら、まず自分の「波動」を整えるだろう。自分が求める結果を思い描いて、自分の「ソースエネルギー」と調和し、関係者に対しても前向きの関心を注ぎ続ける。相手が今しているかもしれない望まない行動に関心を注ぐことはしない。

別の言い方をすると、こういうことだ。言うことを聞かない子どもに引っ張られて、あなたの「波動の預託口座」のなかにあるよく手伝う幸せな子どもというビジョンから目を放してはいけない。手伝う子どもを思い描き続け、今、手伝わないでいることには関心を向けなければ、あなたのパワーは断ち切られないし、子どもはやがてあなたの「結び付き」の強力な影響力を感じるだろう。そうすれば子どもは言うことを聞かないとひどいぞと脅されていやいや手伝うのではなく、とても創造的になり、役に立とうと自分から積極的に行動するだろう。

「家族の調和」は個人の自由を妨げるか？

ジェリー　親一人子一人の家族でも、(祖父母に両親、子どもたちがいっしょに住んでいる)14人もの大家族でも、お互いに尊重しあいながら個人の自由を失わずに暮らすには、どうすればいいとお思いになりますか？　誰かが号令をかけなければならないのか、それとも誰もが自由に決断しつつ、それでも一つの家族として仲よく暮らすことは可能なのでしょうか？

エイブラハム　どんな規模の集団でも、メンバーそれぞれがまず「本当の自分」と調和していれば、仲よく暮らしたり、遊んだり、仕事をしたりすることは可能だ。それから、必ずしも集団の全員がそれぞれの「内なる存在」と調和していなくても、その集団で調和を経験することは可能だ。その集団の力学に参加しているメンバー全員が求めている調和とは、それぞれの「内なる存在」との調和だ。それが達成されれば、初めてほかのメンバーとの調和も可能になる。一貫して自分自身の「創造のヴォルテックス」のなかにいる人は、調和を発見していない人とでも調和を見いだすことができる。

誰が何を望むにしても――物質的な対象でも、物理的な条件でも、金銭的な状況でも、あるいは調和のとれた関係でも――望む理由はたった一つしかない。それが手に入ればいい気分になれると思うから、望む。できるだけ気分のいい思考を心がけて、また前向きな側面のリストを作り、「感謝の乱発」をすることで、自分の「内なる存在」との調和を維持し、いつも「創造のヴォルテックス」のなかにとどまっていれば、周りの世界との調和も見いだせるだろう。

では、誰が号令をかけるか？　もっといい言い方をすれば、誰がその集団を指導するか？　答えはこうだ。「源《ソース》」と調和している者は一人でも、調和していない百万人よりも強力だ。だから自分の「内なる存在」「創造のヴォルテックス」、そして世界を創造しているパワーと最も調和している者が指導者として現れるだろう。人は自然に、この明晰な心を持つ安定した幸せな人々に惹かれていく。

家族の誰もこの種の調和を実現していなければ、いちばん大きい者か強い者、いちばん声が大きい者がリーダーになるのが普通だ。だが「源《ソース》」に調和している者が誰もいない集団には、本当のリーダーシップは見いだせない。

多くの人は人生やリーダーシップについて逆さまのアプローチをしている。人が自分たちを喜ばせる行動をすることを望む。そうすれば見ていてうれしいだろうと思うからだ。だがわたしたちは、たとえ外部的な証拠は何もなくても自分が喜ばしいと思う思考に関心を向けていなさい、と言いたい。流れに対する抵抗がなければ、またネガティブな感情がなければ、自然に自分の内なる「創造のヴォルテックス」のすべてと調和することができるからだ。そして幸せで仲のいい家族は「創造のヴォルテックス」のなかにある。

家族の誰が号令をかけるべきか？

ジェリー　すると、今話しているような家族には誰も号令をかける人がいない、ということですか？

エイブラハム　それは誰がほかの人たちをコントロールしているのか、という質問と同じだ。そして、あなたがたがコントロールできるのは自分自身の思考の方向だけだ。ほとんどの人はこう答えるだろう。「最も大きい者、あるいは最も強い者が号令をかける。あるいはコントロールする」。だが、あなたがたの歴史を見ていれば、そうではないことがわかる。それは「引き寄せの法則」に反するからだ。「本当の自分」と結び付いている者――言い換えれば自分自身の「創造のヴォルテックス」の内側にいる者――は、そうでない者を百万人合わせたよりも力強い。

あなたがたが求めているのは家族の行動や信念をコントロールすることではなく、自分が望むような者として家族を見られるように思考をコントロールする能力だ。そして、思考をコントロールして、いつでも発展し続け拡大・成長し続ける幸せな成功した人生のバージョンと調和していれば、あなたの影響力はとても強くなる。ほかの人たちは、この人はどんな魔力を持っているのかという目であなたを見るだろう。

わたしたちが勧めたいのは、ほかの人が何をするかを気にせず、自分が気持ちのいい思考や言葉や行動を心がけることだ。あなたが「創造のヴォルテックス」に投影しているすべての素晴らしい経験や人間関係と「波動」を一致させなさい。そうすれば「波動」が整い、結果として自分が調和の真っただなかにいることに気づくだろう。

親子の仲とトラウマ

ジェリー　わたしが子どものころと比べると、家族の力学は大きく変化しましたね。わたしの親は明らかに、わたしに命令するのが親の責任だと信じていました。母がしたことはすべて、わたしのためを思ってのことだったと思います。でも今になって、あなたがたに教えられたことや、母に殴られたことなどを考えると、母は自分の「内なる存在」と調和していないことが多かったと思うのです。

少し前、ここの廊下を歩いていたら、小さい女の子を連れたお母さんがいました。女の子は立ちはだかって、「嫌だ！」と叫んでいるのです。

お母さんが「嫌なの？」と聞きました。

女の子は「嫌だ！」と言います。

するとお母さんは、「ああ、あなたが一番になりたいのね？」と言いました。

女の子は「そう」と答えました。そしてふくれっ面をしていた女の子はやっと、待っているお母さんのほうへ階段を下りて、自分が行きたいほうへ母親を連れていったのです。

わたしは考えましたね。わたしが子どものころと比べて、振り子はまったく反対の方向に振れたらしいな、と。今では小さい子どもが親に命令し、親が「はい、はい」と従う光景を見ることは珍しくありません。そのことについても話していただけますか？

エイブラハム　共同創造の場でどちらも、というか関係者の全員が自分の「創造のヴォルテックス」のパワーとの調和を心がけておらず、「創造のヴォルテックス」から離れていると、普通はいちばん断絶の大きな者――最悪の気分でいる者――がその場を牛耳ることになる。だが、パワーのない人のパワーを測ろうというのは、混乱している人に明晰さを要求するようなものだ。生産的なことは何も起こらず、誰も幸せにはならない。

わたしたちの視点からすれば、効果的なリーダーシップを発揮したり、いい親やメンター（指導者）になれるのは、いつも自分の「創造のヴォルテックス」のなかにいる人たちだけだ。「源《ソース》」のパワーと明晰さ、知識に自分を調和させるように心がけていなければ、リーダーシップはとれない。

子どもたちは癇癪《かんしゃく》を起こすことを、「源《ソース》」と結び付かず、調和していない大人から学ぶ。

子どもたちは「源《ソース》」と結び付くことを、安定していて明晰な大人から学ぶ。

子どもに親の信念を植えつけるべきか？

質問者　まだ物事を学んでいない、ごく若いうちに親になる場合もよくあります。自分がまだ学んでいないのに、どうすれば子どもを教えられるのでしょうか？

エイブラハム　あなたがたが忘れていることを、子どもたちはまだ覚えている場合が多い。子どもたちはまだ自分が善であることを覚えている。まだ、物事は自分にとっていいようになると期待している。まだ、自分の「内なる存在」の「波動」と調和している。言い換えれば、子どもたちはまだ自分の「創造のヴォルテックス」のなかにいる。それもあって、子どもたちに「おまえはダメだ」と言っても、子どもたちはそんな言葉を聞き入れない、あるいは同意しないことが多いのだ。そこでもう一つ、重要な間違った思い込みを指摘しなければならない。

間違った思い込み　その21

すべての答えを知って、その答えを子どもに教えるのが、親としての仕事である。

すべての答えを知ることは決してできない。なぜなら、すべての問いかけが済んだということは決してないからだ。あなたがたは永遠に新たなコントラストという基盤を発見しては、そこからもっと多くの問いかけをして、答えを求め続ける。それこそが、あなたがたの永遠の人生の喜びだ。永遠の発展と拡大・成長、そして発見の喜びなのだ。**言葉が教えるのではない。人生経験が教える。子どもたちはあなたがたの言葉から学ぶためにこの世界に来たのではなく、自分自身の人生経験から学ぶために生まれてきたのだ。**

子どもたちにしてやれる最高のことは、物質世界の自分の側面と「見えない世界の自分」の側面の関係を理解すること、自分の「感情というナビゲーションシステム」を効果的に活用し、日々できるだけ自分の「創造のヴォルテックス」に近づくことだ。

自分が「創造のヴォルテックス」のなかにいなくて、だからあまりいい気分でないなら、気分がいいふりをしてはいけない。ありのままでいなさい。「本当の自分」と調和していないことを子どもたちにも知らせなさい。そして、調和したいと思っていることを示しなさい。あなたがたが学んだもっといい気分になるプロセスを子どもたちに見せなさい。できるだけたびたび、それもおおっぴらにそのプロセスを実行して、その気になったら自分の「創造のヴォルテックス」に入れる術を身につけなさい。

幸せでないのに幸せなふりをしたり、おびえているのに自信があるふりをすると、子どもたちを混乱させるだけだ。あなた自身の実例を通して、自分の二つの側面の「波動」のギャップを上手に管理できたら人生がどれほどうまくいくかをはっきりと示してやりなさい。自分はいい気分になりたいのだと子どもたちに知らせ、自分がその気になれば周りがどうであろうといい気分になれるのだ、ということを見せてやりなさい。

なによりも大事なことは、あなたがどんな気分になるかは子どもたちや子どもたちの行動のせいではないと、子どもたちに理解させることだ。あなたがたを喜ばせなければならないという実現不可能な束縛から子どもたちを解放しなさい。それによって、子どもたちが自分自身の素晴らしい「ナビゲーションシステム」を活用できるようにしてやりなさい。

機能不全家族の責任は誰にあるのか？

質問者　わたしが子どものころ、親たちはケンカをしては怒鳴りあい、わめきあって、子どもたちは殴られていました。わたしは、世界は安全な場所ではない、本当にひどいことが起こり得るのだ、という確信を抱いて成長しました。それから5年間セラピーを受けて、自分の身に起こったことは自分のせいではない、わたしは自制心を失った両親の犠牲者だと思うようになりました。

エイブラハム　セラピストはあなたが自分の経験について自分を責めないようにしたいと思ったのだが、しかし本当は両親を責めてもいいことはない。責めたり罪悪感を抱いたりしている間は、「創造のヴォルテックス」の外にいるからだ。まだ「本当の自分」と調和していない。**自分は犠牲者だ、誰かが自分に苦痛を与え、苦しませるパワーを持っているという結論以上に破壊的な考え方はない。**

こう言っても、あなたがたが実際に誰かの行為の直接的な結果として痛みや苦しみを味わっているときには、なかなか理解できないことはよくわかる。それに、あなたがたに理解してもらう前に、説明しなければならない重要な要素がある。それは、親はあなたがたが悪いから殴るのではない、ということだ。また親が悪いから、あなたがたを殴るのでもない。親があなたがたを殴るのは、自分が「本当の自分」と調和していないから、無力だと感じているからだ。無力感を覚えるところから、復讐や怒りの感情へと進むのには理由がないわけではない――それどころか、きわめて合理的だ。なぜなら、それで「波動のスケール」を調和に向かって一歩進むことになるからだ。

言い換えれば、無力感は「創造のヴォルテックス」「本当の自分」からいちばん遠いところにいることを示している。それよりも復讐心のほうが「創造のヴォルテックス」に近いし、怒りはさらに近い。やられた、まいったなという気持ちはさらに「本当の自分」に近く、いら立ちはもっと「本当の自分」に近い。希望は「本当の自分」に非常に近くて、あとほんのちょっとのところにいる。あとわずかで「創造のヴォルテックス」のなかに入れる。「よいあり方《ウェル・ビーイング》」を信じる気持ち、それを知っているという思いは、「創造のヴォルテックス」のなかにある。高く評価して感謝する気持ちや愛、情熱、熱意、そしてすべての明るくていい気分も同じだ。

恐ろしく不快な状況に置かれていると気づいたとき、まず感じるのは不安だろう。そしておびえて泣き声を上げると（もちろん、とてもよく理解できる反応だ）、あなたは望まないことをさらに親から引き出すことになる。理解しにくいかもしれないが、あなたが親のケンカというドラマから自分を精神的に引き離し、玩具に気持ちを集中するとか、自分の部屋にこもって、争いの「波動」に加わらなければ、夫婦ゲンカのドラマを繰り広げている親はあなたを放っておいてくれるだろう。だが、周りで起こっていることに気づかずにいるのも、感情的な反応をせずにいるのも、容易ではない。

同じことは親たちにも言える。親たちの人生には疑いもなく望まないことが起こっていて、それを無視できずにいるのだろう。だから、よけいにその望まない状況に引き込まれてしまう。これはある種の苦しみの連鎖で、誰かが不幸だと（それも無理もないという場合が多いが）、不幸な人は誰かに当たり散らし、その人がまた別の誰かに当たり散らし、さらにその人が……と続く。

この苦痛の連鎖に巻き込まれた人のほとんどは、子どもでも大人でも、その不快な人生経験から、自分は価値のない人間だ、自分にはいいことは起こらないという結論を出してしまう。そして、そんなふうに感じていれば、実際にそうなる。

それからたいていの人は、セラピーを受けている人でさえ、関係者のどの行動が正しくてどの行動が間違っていたのかを見分けようとして多大の時間を費やす。子どもたちは自分を責め、親を責め、親は自分を責め、子どもを責め、こうして苦痛の連鎖は果てしなく続く。

どんな考えでもいいから、ホッとして気持ちが楽になる考えを見いだそうと努力したとき、初めて愛や高い評価と感謝という「本当の自分」を表す目盛りに向かって「感情のスケール」を移動することができる。そして「創造のヴォルテックス」のなかから見たときにのみ、与えられた経験と拡大・成長を十分に評価することができるし、理解できる。

ほとんどの人は自分が求めているのは自分を愛してくれる人だと信じているし、自分を愛してくれるのは親の責任だと信じている。だが、絶望し「よいあり方《ウェル・ビーイング》のヴォルテックス」から遠く離れている親には、与えるべき愛がない。ところが、子どもは自分が愛されないのは親が愛と調和していないからだとは思わず、自分に何か悪いところがあるからだと思ってしまう。

ここでも人間たちは間違った場所に愛を探していることを指摘しなくてはならない。あなた自身の「創造のヴォルテックス」に目を向けなさい。拡大・成長した自分に目を向けなさい。自分の「源《ソース》」に目を向けなさい。「愛」の源泉に目を向けなさい。それはいつでもあなたがたのために存在しているが、あなたがたが自分のなかで自分の「波動」をそれと一致させなければならない。愛の「波動」と周波数を合わせなくてはいけない。そうすれば「創造のヴォルテックス」があなたを包むだろう。そして、あなたは愛に囲まれるだろう。

赤ん坊が「望ましくない経験」を「引き寄せる」のか？

質問者　でも、たった9ヵ月の赤ちゃんが自分で恐ろしい経験を引き寄せたりするものでしょうか？

エイブラハム　物質世界の身体に宿ってからはたった9ヵ月でも、その赤ん坊の身体に焦点を結んだ者は、実際には大変に年を経た賢い創造者だ。そしてコントラストを経験し、拡大・成長を目指して「波動の現実」に明白な願望のロケットを発射しようという力強い意図を持って生まれてきたのだ。

人はよく、子どもはまだ言葉を話せないから自分の経験の創造者にはなれないと思い込むが、あなた以外にあなたの経験を創造している者は誰もいないとわたしたちは断言する。子どもたちは生まれたとたんから「波動」を出している。その「波動」が引き寄せのもとだ。

ほとんどの子どもたちは、自分自身の「創造のヴォルテックス」との調和を維持しようという自然な傾向を妨げられない環境に生まれてくる。また、物質世界に生まれ出た当初は、「創造のヴォルテックス」から引き離されるような影響を周りから受けることもあまりない。だがときには「よいあり方《ウェル・ビーイング》」を教えたいという強烈な意図を持って生まれ出ることがあり、その場合には、物質世界の経験のごく初めから願望を刺激するようなコントラストに身をさらそうと、生まれる前から考えている。そういう経験から生じる欲求のパワーを理解しているからだ。自分が何を望まないかを本当に知れば、それだけ自分が望むことをはっきりと求めることになる。その結果、「創造のヴォルテックス」はそれだけ迅速に拡大・成長する。

さらにあなたがたは、生まれる前の「見えない世界の視点」で、不快さやネガティブな感情、病気、そのほかあらゆる望まないことの真の根源は自分の「創造のヴォルテックス」との不調和、「本当の自分」との不調和だと知っている。だから、物質世界の身体に宿って生まれ出るすべての「存在」は、「創造のヴォルテックス」に向けて願望のロケットを打ち出すために、早くからコントラストに満ちた経験をしたいという意欲を持っている。「創造のヴォルテックス」が力強く回転すればするほど、「源《ソース》」の呼び声は大きくなる。見えない世界のすべての存在は、高く望めばそれだけ流れへの抵抗によく気づくし、流れへの抵抗だけが楽しい創造を邪魔するのだから、抵抗に気づけば気づくほどいいのだと理解している。

まだ自分の「創造のヴォルテックス」の外側にいるとき、自分の人生のコントラストから生まれた力強い「存在」から切り離されているときには、こんな説明をしても納得できないだろう。だが約束するが、あなたがたがもっといい気分になれる理由を探せば探すほど、親やあなたがたを傷つけたり裏切ったりした人たちの行為を善意に解釈しようとすればするほど、あなたがたは「創造のヴォルテックス」に近づき、そのなかへ入ることができるし、そのときにははっきりと理解できる。発展し拡大・成長した自分の部分と一体になり、求めたあらゆるもの、そして「波動」のなかで実現したすべてのものの「波動」に囲まれるとき、あなたはその願望のきっかけになった誰に対しても悪意を抱かなくなる。それどころか、あなたの喜ばしい拡大・成長にその人々が果たした役割を高く評価するだろう。

自閉症の子どもたちはなぜ生まれるのか？

ジェリー　子どもが望ましくない肉体的条件に生まれるのはなぜでしょうか？　例えば、自閉症とよばれる子どもたちが猛烈に増えているような印象があります。生まれる前のどの時点で、子どもたちは欠落のある思考を抱くのでしょう？

エイブラハム　物質世界にいるあなたがたの視点では、コントラストや相違が持つとてつもない価値を思い出すことができない場合が多い。だが、生まれる前の「見えない世界の視点」では、それが選択にあたっての非常に大きな要素になることも多い。コントラストと相違が持つ価値を忘れている親や教師の多くは、子どもたちが「当たり前」であってほしいと強く望むが、その結果として実にやっかいな画一性の氾濫が起こる。だから多くの「存在」は、コントロールされず画一化されないくらいに違っていようというはっきりした意図を抱いて、物質世界の経験へと生まれ出る。物質世界の経験へと生まれ出る「見えない世界のすべての存在」は明晰で、熱意があり、確信を持っていて、決して欠落という立場からやってくることはない。これには例外はいっさいいない。

Part 5

自己評価と「引き寄せの法則」

「創造のヴォルテックス」への「魔法の鍵」

高い評価は「創造のヴォルテックス」への鍵

わたしたちはあなたがたと話して、宇宙についての知識や「宇宙の法則」、それにあなたがたが果たしている重要な役割について伝えられることを、とても楽しく感じている。物質世界にいる友人たちとの交流でいつもわたしたちが最優先したいと思っているのは、あなたがたが「本当の自分」を思い出す手助けをすることだ。そうすれば、あなたがたはこの永遠に続く楽しい宇宙の創造のなかで、自分が果たす大切な役割をとても高く評価し、感謝することができるだろう。

わたしたちの対話が物質世界の視点から見えない世界の視点へ、さらにまた物質世界の視点へと移り変わるにつれて、わたしたちはとても重要なダンスをともに繰り広げている。なぜなら、両方の視点のどちらも全体に不可欠だから。また、物質世界と見えない世界のどちらの視点もわたしたちの永遠の拡大・成長に欠かせないものだが、わたしたちがこの本のなかで理解してもらいたいと思っているいちばん重要なこと、そしてあなたがたが獲得し得るいちばん重要な知識は、この二つの「波動の視野」を統一する、ということである。

あなたがたが細かい五感の情報を通じて探求し観察する物質世界の視点は非常に強烈だ。実際に触れて感じるかぐわしい地球環境、その生き生きとした詳細なコントラストを、あなたがたは自分の世界の「現実」だと宣言する。実際、物質世界へのあなたがたの関心は、あなたがたと「すべてであるもの」に非常に大きな貢献をしている。しかし話はそれにとどまらない。現実という物語は、あなたがたがこの素晴らしい星・地球で、素晴らしい銀河系で、素晴らしい時空の現実で五感を通じて発見するより、もっと豊かだ。そのすべて、あなたがたが目にするすべては、やがて来るものの前触れであり、もっと喜ばしい現実、もっと喜ばしい成長への跳躍台なのだ。

人々が銀河系と地球という星の驚異を観察し、これは「見えない世界の力」によって動かされているのではないかと想像するとき、その理解と説明は不十分ではあるが、本質的には当たっている。あなたがたの物質世界は「見えない世界のエネルギーと創造」の延長で、あなたがたが目にしているすべては「ソースエネルギー」の意識的な関心によって創造されたものだ。

あなたがたとあなたがたの世界の創造の物語は、既に起こった物語ではない。今、起こりつつある物語だ。あなたがたの世界を創造した「ソースエネルギー」は、あなたがたへ、そしてあなたがたを通じて継続的な創造へ、宇宙の拡大・成長へと今も流れ続けている。

あなたがた人間たちは慎ましさのあまり、「すべてであるもの」の継続的な拡大・成長に果たしている重要な役割を否定することが多い。だから、わたしたちはこの本を提供している。あなたがたのなかで「本当の自分」の記憶が目覚めてほしい。あなたがたがなぜこの世界にいるのか、わかってほしい。自分の創造的な能力についての知識を取り戻してほしい。物質世界の身体に宿ったあなたがたがしている重要な仕事の成果を刈り取ってほしい。あなたがたに「創造のヴォルテックス」に戻ってほしいと思っている。

あなたがたは物質世界の物質的現実にさらされてコントラストを経験するが、それはもっといい人生についての見解と願望を形づくるために必要なことだ。そして、あなたがたには見えなくても、また気づかないことが多くても、もっといいものが欲しいというあなたがたの願望は「波動のロケット」「求めるメッセンジャー」として打ち出されている。その「願望のロケット」は、あなたがたの星・地球創造のもととなったロケットと同じように波動の圏内へと打ち込まれる。そして、世界を創造した「ソースエネルギー」に受け止められる。この同じ「ソースエネルギー」が「すべてであるもの」の起源である。すると「願望のロケット」となった思考や要求や願望は理解され、そして――発射の瞬間に――答えが与えられる。

ほとんどの人はロケットを打ち出していることに気づかず、また「源《ソース》」がそれを受け止めて応えていることにも気づかないが、それでも新たな力強い創造が始まる。この言葉を読んで考え、創造というものの永遠なる性質を論理的に理解する人もいるだろう。多くは、その創造の力が今も存在し、拡大・成長が今も続いていることを受け入れることができるだろう。だが、わたしたちの友人である人間たちがいちばん誤解しているのは、あるいは見過ごしているのは、物質世界の人生を生きて、望ましい拡大・成長という「願望のロケット」を発射することで、あなたがたが創造するのは拡大・成長した世界だけではない、ということだ。拡大・成長したあなたがた自身をも創造しているのである。

あなたがたは自分の場合でも他人の場合でも、病気を見れば治癒を求める新たな「波動」を出す。「源《ソース》」はそれを受け取り、応える。物質世界のコントラストのなかで腐敗や不当なことが明らかになれば、あなたがたは公正と正義を求める新たな「波動」を出す。誰かに無礼な扱いをされれば、あなたがたの「波動のロケット」はもっと気持ちのよい経験を求める。経済的に不自由していれば、「波動のロケット」はもっと豊かになることを求める。そうやって日々、一日じゅうロケットが打ち出されるたびに、「波動の預託口座」「波動の現実」が形成される。あなたの「見えない世界のより広い視点」、あなたが生まれる前から存在していた部分、物質世界に焦点を結んでいる間も「見えない世界」に存在する部分――あなたのなかの「源《ソース》」(内なる存在)――は、もっといいものが欲しいというあなたの求めに応えるだけでなく、求めそのものになる。

ほかの星と完璧な距離をおいて回転するあなたがたの星・地球のような驚くべきものを生み出す創造者、あるいは力、プロセスはなかなか考えにくいだろう。しかし、それが理解できなくても、また説明できなくても、あなたがたは――あなたがたの誰もが――生きて「波動の現実」にロケットを発射することを通じて、「すべてであるもの」の拡大・成長に寄与し続けているのだし、その「波動の現実」はいずれ物質世界の住人に十分に認識されるだろう。

わたしたちがこの本を書いたのは、あなたがたが創造している「波動の現実」に関心を向けてほしいからだ。あなたがたの「創造のヴォルテックス」に気づいてほしい。そしてなによりも大切なことだが、意図的に自分の思考を方向づけて、回転し続けている「創造の波動のヴォルテックス」の中身に「波動を一致させる」方法を知ってほしい。あなたがたのなかで生まれた願望は一つ残らず、あなたがたが夢見たとおりの形で「創造のヴォルテックス」のなかに存在し、あなたがたが調和するのを待っているからだ。

あなたがたが物質世界で見て触れて聞く現実はどれも、それ以前に「創造の波動のヴォルテックス」のなかで回転していた。まず思考があり、それから思考が形をとり、そして物質世界であなたがたが知っている「現実」になる。もっといいものを求めるあなたがたの夢や願望、アイデアは、あなたがたの「より広い」部分によって受け取られる。あなたがたのなかの年を経た大きくて賢い部分は、ひたすらあなたがたの求めに関心を集中し、いっさい流れに抵抗しないから、強力な「引き寄せの法則」が働く。すると、すべての協力的な要素(同じ周波数の波動の要素のすべて)が回転し続ける「波動の現実」に引き寄せられて、物質世界の現実の前段階が完成する。この「波動の現実」が物質世界の現実になる、つまりあなたがたが見て聞いて嗅いで味わって触れることができるモノや経験になるには、もう一つだけ必要なことがある。あなたがたが「創造のヴォルテックス」に入らなくてはならないのだ！

いら立った夫に怒鳴られ、そのときの夫の愛のなさにすくんだとき、あなたは大切にされたい、愛されたい、もっと気分のいい配偶者が欲しいという願望のロケットを打ち出す。するとカチ、カチ、カチとそれらの願望が「創造の波動のヴォルテックス」によって受け止められ、取り込まれる。この旋回する「創造のヴォルテックス」に「引き寄せの法則」

が働いて、すべての協力的な要素が引き寄せられる。こうして新たに修正されて、あなたの「創造のヴォルテックス」は拡大・成長する。だが、ここでとても重要なことを考えなくてはならない。たった今、あなたは協力的な要素の一つになっているだろうか？　あなたは「創造のヴォルテックス」のなかにいるだろうか？

・夫の言葉の暴力にあなたがまだ怯えていたら……あなたは「創造のヴォルテックス」のなかにはいない
・女友達に事の次第を語り、自分は全然悪くないのに、と自己弁護していたら……あなたは「創造のヴォルテックス」のなかにはいない
・夫がもっと優しかったころを懐かしんでいたら……あなたは「創造のヴォルテックス」のなかにはいない
・夫の態度は忘れて、結婚を決意したころの自分の気持ちを思い出していれば……あなたは「創造のヴォルテックス」のなかにいる
・夫の癇癪は自分とは関係ないと考えて、ほかのもっと明るい楽しい面に関心を向けていれば……あなたは「創造のヴォルテックス」のなかにいる
・嫌な気持ちでいるなら……あなたは「創造のヴォルテックス」のなかにはいない

・いい気分でいるなら……あなたは「創造のヴォルテックス」に近いところにいる

「創造のヴォルテックス」を理解する簡単な方法を教えよう。

・物質世界の身体に宿る前、あなたは「創造のヴォルテックス」のなかにいた（そこには流れに抵抗する思考はいっさいない）
・あなたである「意識」の一部は今、物質世界のあなた、つまりあなたが知っているあなたに焦点を結んでいる
・人生でコントラストに触れると、あなたはもっと大きな「見えない世界の部分」のあなたが存在している「創造のヴォルテックス」に向けて拡大・成長のロケットを発射する
・拡大・成長と改善を求めるあなたの前向きな要求だけを受け止める「創造のヴォルテックス」には、改善と拡大・成長に反する思考はいっさいない
・「引き寄せの法則」は「創造のヴォルテックス」の抵抗のない純粋な波動に応え、創造の完成に必要なあらゆる協力的な要素、波動が一致する要素を集める
・あなたはあなたの創造の要素の一つである
・実はあなたが「創造である」

・そこで、唯一の疑問はこういうことだ。物質世界の形をとっているあなたは、たった今、自分の創造と「波動が一致」しているだろうか？
・その答えは、創造の対象に関心を向けているたった今のあなたの気分でわかる
・怒りを覚えているなら――「波動は一致」せず――あなたは「創造のヴォルテックス」のなかにはいない
・高い評価と感謝を感じているなら――「波動は一致」しており――あなたは「創造のヴォルテックス」のなかにいる

「創造に関する波動のヴォルテックス」に入る鍵、流れへの抵抗が皆無な状態を経験する鍵、既にそうなっている自分や望むすべてとの完全な調和を達成する鍵、そして望むすべてを物質世界で実現するための鍵は、高い評価と感謝の状態を保つことだ。そしてあなたが関心を向けて高く評価する対象として、あなた自身より重要なものはない。

ほかのあらゆる思考を全部合わせたよりも、もっと人々を自分の「創造のヴォルテックス」から引き離してしまう習慣的な思考あるいは信念とは、自分自身に対する高い評価の欠如である。

人はどうして自信を失うか？

ジェリー　いつも自分の経験を持ち出すようですが、何が起こったか、自分がどう感じたかがいちばん確実にわかるのは、自分の体験なんですね。そこで思い出すのですが、小さいころ、わたしは自信に満ちあふれていました。他人を知らなかったんです。自分はなんでもできると思っていた。けれど大きくなって人に批判されるようになり、批判の対象となっている自分を感じて、自信を失いました。すっかり引っ込み思案になったくらいです。

今、元気いっぱいで自信にあふれた怖いものなしの小さな子どもたちを見ると、あのころの気分を思い出します。でも、子どもたちはだんだん自信を失って「萎えて」いくんですね。それでうかがうのですが、どうしてわたしたちは自信の崩壊を経験するのでしょうか？　どうすれば、それを防ぐことができますか？　それからどうすれば、人の自己評価を引き上げてやることができますか？

エイブラハム　あなたの言うとおりだ。人が何かの理解に達するのは、自分の体験からだけだ。それには理由がある。あなたがたは人生の出来事をきっかけに拡大・成長し、「創造に関する波動のヴォルテックス」に「願望のロケット」を打ち出す。だが、真の知識を得て理解できるのは、自分がそのロケットに追いついて一体となることを「許容・可能」にしたときだけなのだ。他人が打ち出したロケットに追いつこうとしても、真の知識は得られない。だから、言葉では教えられないのだよ。教えてくれるのは自分の人生経験だけだ。

あなたがたは最初はあれほど独立心旺盛なのだ。他人の言葉をそのまま受け入れようとせず、自分で経験したい、自分で決断したい、自由に選択したいと思う。その欲求は決して消えず、減ることもない。それどころか、どんどん強くなる！　あなたがたが生まれたときに持っていた怖いもの知らずの元気さが普通はだんだんしぼんでしまうのは、自分自身の「創造のヴォルテックス」から引き離されてしまうからだ。言い換えれば、ほかの人たちに説得されて、自分の気分よりもほかの人たちの気分に関心を払うべきだ、そのほうが重要だ、と思ってしまうからだよ。

あなたがたの感情はすべて、自分の「創造のヴォルテックス」との関係を表している。自信があるなら、そのときの思考は「創造のヴォルテックス」のなかにある「源《ソース》」のあなたに対する感じ方と完全に一致している。困っていたたまれない思いをしているなら、そのときの思考は「源《ソース》」のあなたに対する感じ方と一致していない。だから親や教師や友達が（その人たちを喜ばせるように仕向けようとして）あなたに否定的な態度をとったとき、あなたがそれに応じて自分の思考や言葉、行動を変えてその人たちを喜ばせようとすると、自分自身の本当の「ナビゲーションシステム」や自信の「源《ソース》」から外れてしまう。

だから、自信が崩壊するのではなく、自信をいつもリフレッシュすることを「許容・可能」にしなかっただけなのだよ。他人に肯定されたいと思っていると、自分自身の「エネルギーの源泉」がリフレッシュできない。ここでも「間違った場所に愛を求めている」わけだ。

人を元気づけて自己評価を高めるには、自分自身の自信の源泉をリフレッシュするように仕向けてやる必要がある。あなたの評価や否定に応えろと言ったのでは、助けることにはならない。あなたがたの多くは、人を元気づけて評価を高めるには肯定し称賛を浴びせてやればいいと考えている。だが、あなたを頼りにして自分自身を元気づけていたら、あなたがほかに関心を移そうとすると、相手は困ったことになる。あるいは頼りにされているあなたが自分自身を「リフレッシュ」していなければ何も与えられないから、相手はやっぱり困ったことになる。だが、リフレッシュのための「源《ソース》」はほかの誰とも関係なく自分が持っているのだから、自分自身の「創造のヴォルテックス」の本質を理解し、それとの調和を心がければいいとわからせれば、本当の意味で元気づけて自己評価を高めてやったことになるし、その効果は一生、続くだろう。

高い自己評価への最初の一歩は？

ジェリー　わたしは否定され批判されて、本当に自分が嫌になったことを覚えています。でもそんなとき、祖父がとても元気づけてくれたことを思い出すんです。それから、わたしをけなしてぺちゃんこにし、恥ずかしいいたたまれない思いをさせた教師もいましたが、でもスピーチの教師だったハンレー先生はわたしを元気づけて自信を持たせ、いい気分にしてくれました。ジムでからかわれたこともありましたが、コーチのピアーズ先生はとても褒めてくれました。また、教会の10代のための催しや合唱隊、スカウトに参加して楽しんでいたのですが、教会ではほかの教会や世のなかをひどく批判していたので、遠ざかりたくなりました。そういう場から離れたかったのです。

　でも、今あなたがたから学んだのは、自分が望まないことから離れろというのは、そういう行動を指しているのではないってことです。教師や家族をあてにしなくても（そういう人たちから褒められれば役には立ちますが）、元気になって自信を回復することはできるんですね。周りがどうなっていようとも、自信の源泉は自分自身のなかに見つけられる。そうじゃありませんか？

エイブラハム　あなたは自分自身を例にして、自信を回復するために他人を頼りにすることの問題を指摘した。自己評価が高い——したがって「源《ソース》」「創造のヴォルテックス」、世界を創造する「純粋で前向きなエネルギー」と調和している——人たちがあなたに関心を向けてくれると、あなたはそのまなざしから利益を得ると感じる。だが、自分の「創造のヴォルテックス」のなかにいないし「源《ソース》」とも調和していない人があなたに欠落のある関心を向けると、あなたはそのまなざしから不利益を被《こうむ》ると感じる。他人から獲得する反応には一貫性がない。それで結局、あなたは自信を失ってしまうのだよ。

あなたの「創造のヴォルテックス」、あなたのなかの「源《ソース》」（あなたの「内なる存在」）は揺らがないし、頼りになる。自分が選択する思考を通じて「創造のヴォルテックス」への道をつければ、あなたはいつでもリフレッシュできる。バランスのとれた気分のいい人生を生きるためには、できるだけたびたび「源《ソース》」で、のどを潤す必要があるのだ。

「引き寄せの法則」が競争に与える影響は？

ジェリー　競争は役に立つとお思いですか？　それとも、立たないのでしょうか？　10代のころ、プールで素晴らしい飛び込みをする人を見て感動し、もっとすごい飛び込みをしたいと思いました。それから自分よりうまいジャグラーを見て、誰にもできないような技を編み出そうと努力したこともあります。いつも誰かの才能や能力と比べては自分を評価していたような気がするんですね。でも大人になってからは、できるだけ競争から離れていようと思うようになりました。誰かが勝つためには誰かが負けなければならない、それが嫌だったんです。自分が勝ちたいし、負けたくない。でも、たとえ自分が勝っても、誰かが負けるのを喜ぶことはできませんでした。

エイブラハム　あなたがたは意図的にこの多様性とコントラストのある時空の現実に身を置いた。多様な現実が思考を刺激してくれることが楽しかったからだ。あなたがたを囲む思考や経験の多様性、それから競争を効果的に活用する鍵は、その現実に刺激されて願望が生まれ、願望のロケットが「創造のヴォルテックス」へと発射されたあとは、自分自身、それに「創造のヴォルテックス」と自分の思考の関係にひたすら関心を注ぐことだ。ロケットが発射されれば、競争はもう目的を果たし終えている。言い換えれば、競争は「創造のプロセス」の第一段階には大きな力を発揮するが、「創造のプロセス」の第三段階にとっては妨げになる。

ジェリー　それは競争というより比較のことではありませんか？

エイブラハム　競争というのは比較の進んだ形態のことだ。それからゲームには終わりがないことを覚えておくことが重要だね。いつだって次のコントラストの組み合わせがあり、それが「願望のロケット」を打ち出すきっかけになる。だからあなたがたは、いつでも自分の「創造のヴォルテックス」へと近づき、「波動」のギャップを埋め、新しく始まった拡大・成長を細かく経験するという楽しみを味わえる。

他人と比較して自分を制約するのは？

ジェリー　わたしは高級車を買えるようになってからも長い間、地味な車に乗り続けていました。高級車を運転している人たちに対する批判的な気持ちを記憶していたからです。やがて高級車の持ち主に対する批判を捨て、自分も最高の車を運転するようになりました。でも、どっちにしても他人の反応に影響されていましたね。これは不健康なゲームだとお思いになりますか？

エイブラハム　自分自身との調和よりも他人の意見のほうが重要だと考えているなら、どうしたって健康な立場にいるとはいえない。他人の意見や態度をコントロールしようとして行動するなら、それも健康な立場にいるとはいえない。自分自身の「ナビゲーションシステム」の代わりに、他人の意見に従っているからだ。

世界的な金融危機を恐れていたら？

ほとんどの人は他人の行動や意見を気にするあまり、自分自身の拡大・成長に自分を合わせることを忘れている。その結果、むなしいやりきれない気持ちになったとき、それは他人の行動や意見のせいだと誤解する。だが、そんなことは決してない。**あなたの感情はいいものも悪いものもすべて、その時点のあなたの思考が同じ対象についての「源《ソース》」の理解とどういう関係にあるかを示している。**

今、失業したり所得がなかったりするために、強い恐怖と不安を抱いている人たちがいる。だが、現在ほとんどの人が抱いている恐怖は、これからどんなひどい状態になるか、未来の望ましくない状況が自分の私生活にどんな悪影響を及ぼすかとネガティブな予想をしているせいなのだ。

一部の人々が経験している経済的なトラウマに関心を向け、今後もっとひどい事態になるだろうという予想をさらに付け加えることで——当人はそのつもりでなく、また望んでいないのも確かなのだが——人々は経済情勢の悪化をますますひどくしている。その人たちの不安は景気や雇用、リソースの破壊を推進する力そのものではないが、当人たちが強く望んでいる経済的な幸福が遠ざけられているのはその不安のせいだ。

困窮している人たちを見て、自分も同じ状態に陥るのではないかと恐れると、その「波動」の緊張が自然な幸福の流れを阻む。困窮を目にして緊張して身構える——それによって自分自身の経済的な幸福を阻む——人たちが多くなればなるほど、それを見たほかの人たちも同じことをするようになる。そこで非常にネガティブな抵抗のパターンがあっという間に人々の間に広がる。このシナリオの明るい面は、人が経済状態に対してネガティブな気持ちになるたびに、もっと豊かになりたいという「波動」の要求が打ち出され、その要求は「源《ソース》」によって直ちに聞き届けられ、即座に応じられる、ということだ。そして、力強い求めに力強く対応し、「見えない世界の創造に関する波動のヴォルテックス」が強力に回転し始める。すると、調和するすべての要素が「創造のヴォルテックス」に引き寄せられてくるので、自分自身が「創造のヴォルテックス」のなかに入ることを「許容・可能」にした人たちはそれを発見し、ホッと安堵して楽になることができる。

あなたがたの国、いや世界の経済状況をどうすればいいかについては大きな混乱があるが、解決策はあなたがたがとる行動のなかにではなく、求める解決策への道を明確にすることができる「波動」のあり方にある。簡単に言えば、あなたがたが求める解決策は既に強力な「引き寄せの法則」によって「創造の波動のヴォルテックス」のなかに引き寄せられているのだから、あなたがたは「創造のヴォルテックス」から離れる思考をやめさえすればいい。あなたがたは「波動」が対立する思考をしょっちゅう放出することで、求める解決策の発見を自ら妨げている。

あなたがたの社会や政府、解決策を提案する人たち、それに一般大衆の間では、豊かさと金銭的幸福に関する個人や集団の矛盾した思考が横行している。言い換えれば、あなたがたの姿勢は矛盾していて、両立し得ない。産業界は製品やサービスを人々に買ってほしい、お金を使って経済を刺激してほしいと思っていることを認め、たくさんの企業が繁栄すれば経済全体も上向くと知っている。ところがここで、お金をやたらに使ったりぜいたくな暮らしをして豊かさをひけらかすのは傲慢だ、けしからん、という矛盾した声が上がる。

多くの人たちは個人的に豊かさを経験したいと願う一方で、既にその豊かさを経験している人たちを批判する。

・「あなたがたにもっとお金を使ってほしい／だが、あなたがたがお金を使っているのを見ると腹が立つ」
・「わたしは豊かになりたい／豊かな人たちは道徳的じゃない」
・「金持ちになりたい／金持ちは貧しい人々から奪っている」
・「お金を使えば経済が刺激される／消費は浪費である」
・「お金を使って経済を刺激しなさい／経済のために貯金し、我慢しなさい」
・「繁栄したい／人々に十分にゆきわたるほど世界は豊かではない」

あなたがたは豊かになるのが自然だし、全員が豊かになるだけの資源がある。しかし、いつでも不足のことを考えていたり、豊かな人たちを押しのけるような考え方をしていると、自分の願望と矛盾し、さらに重大なことに自分自身の「創造のヴォルテックス」のなかで実現していることを遠ざけてしまう。

あの人たちは自分から何かを奪っていると信じたときネガティブな気持ちになるのは、その人たちが何かを持っていて、あなたがそれを持っていないからではない。どんな場合でもネガティブな気持ちになるのは自分自身のせいであり、その瞬間に自分自身が受け取ることを邪魔しているためだ。さらに重要なことは、あなたが今までの人生で豊かさを呼び寄せていなければ、そして求めた豊かさが既に「創造のヴォルテックス」のなかで回転し、あなたが受け取るのを待っているのでなければ、豊かでなくてもネガティブな気持ちにはならない、ということだ。

経済的な幸福を求めるなら、経済的な幸福を目にしたら必ず「よかったね」と祝福しなければいけない。

自分が豊かになりたい、大切な人たちも豊かになってほしいと思うなら、豊かさを体験している人たちを批判してはいけない。何かを批判したり、非難したり、押しのけたりすれば、自分が求めるものと反対の「波動」が活性化する。例外はない。そこで、もう一つの間違った思い込みが浮かび上がる。

間違った思い込み その22

成功している人たちを批判しながら、自分が成功することは可能だ。

何かを批判したり押しのけたりすれば、必ず自分の「創造のヴォルテックス」から外れることになる。自分の「創造のヴォルテックス」のなかにいるときにだけ、成功は実現する。さっきの間違った思い込みは人々を「豊かさという創造のヴォルテックス」から引き離し、本来実現するはずの安心や「よいあり方《ウェル・ビーイング》」を妨げる。「自分自身を批判」しつつ、成功することはできない。「自分自身を非難」しつつ、「よいあり方《ウェル・ビーイング》」を実現することはできない。失望や怒り、非難などのネガティブな気持ちは、流れに対立する思考があなたのなかにあることを示している。あなたは成功と対立している。豊かさと対立している。「源《ソース》」との調和と対立している。あなたが求めるすべてがそこにある「創造のヴォルテックス」に対立している。

自己中心主義と「引き寄せの法則」の関係は？

いい気分でいなさい、それが大切だとわたしたちがとても強調するので、「自己中心主義」を教えると非難する人たちが一部にいる。わたしたちの教えの核心には真の「自己中心主義」があることを、わたしたちも認める。自己中心主義を貫いて自分の感じ方を大切にし、もっといい気分になるほうへいつも思考を方向づけていなければ、自分のなかの「源《ソース》」と調和することはできないからだ。そして、自分のなかの「源《ソース》」と調和していなければ、他人に何かを与えることもできない。「源《ソース》」との調和——自分の「創造のヴォルテックス」のなかにいて、拡大・成長した真の自分と一つになること――こそ、究極の自己中心主義だ。
それに「源《ソース》」と調和した状態でいれば、すべてはうまくいく。あなたが発射した願望のロケットはすべて現実化する。**成功とは何かを得ることではなく、仕事を達成することでもなく、経済的な豊かさを実現することでもない。成功とは「見えない世界のあなた自身」と調和することだ。自己中心的になって自分の願望や明晰さ、自信、知識、愛と、つまり「本当のあなた自身」と調和しなさい！**

指導者は必要か？

ジェリー　わたしたちの一人ひとりが自分自身と一致し、いつも自分の「創造のヴォルテックス」のなかにいたら、世界には指導者や人々を支配し指図する人たちは必要なくなるのでしょうか？

エイブラハム　自分自身の「源《ソース》」と調和すること、それがなによりも優れた指針だ。ときには個人として、あるいは社会全体として、「創造のヴォルテックス」のなかにいる指導者の恩恵に浴することもあるだろう。その場合には、あなたがたは指導者のパワーを感じるだろうし、指導者の言葉は聞くものに明晰さと洞察を与えることが多いだろう。だが普通は、指導者の座について問題解決に焦点を置くようになると、自分自身の「創造のヴォルテックス」から離れてしまい、そのすっかり弱くなった立場から人々を指導しようとする。わたしたちがあなたがたの立場なら、自分自身の「創造のヴォルテックス」のなかへ入ってください、と指導者に求めることはしない。そうではなく自分が「創造のヴォルテックス」のなかに入る道を見いだして、そこにとどまり、世界を創造するパワーが自分自身の手を通って流れるのを感じるだろう。

たいていの場合、あなたがたは自分が弱いと感じるから大勢で集まろうとする。そんな不安定な場所から、物事をよくしようとする。だが「創造のヴォルテックス」から外れている人がいくら大勢集まっても、明晰さも力も解決策も得られはしない。**常に「創造のヴォルテックス」のなかにいる人が一人いるほうが、そうでない人を何百万人も集めたよりも大きな力になる。**

自己評価を高めるには？

ジェリー　あなたがたがおっしゃっているのは、いい気分になることにはとても大きな価値がある、ということですね。そこで、どうすればいい気分になれるかを教えていただけますか？　自分自身についていい気分になるプロセスというかテクニックを示していただきたいのですが。言い換えると、意識して自己評価を高めるにはどうすればいいか、ということです。

エイブラハム　究極の自己中心主義とは、自分の「源《ソース》」、つまり「創造のヴォルテックス」のなかで拡大・成長した自分の波動と自分を調和させることだが、そのためには必ずしも自分自身に焦点を絞る必要はない。それどころかたいていは、特に初心者の場合は、自分以外のさまざまなことに目を向けたほうが調和しやすい。

時間がたつにつれて、あなたがたは自分を「創造のヴォルテックス」から引き離すようなさまざまな意見や姿勢、習慣的な思考を――自分自身に関する信念を――身につけてしまう。だからもっと簡単にいい気分になれることに関心を集中するほうが、「創造のヴォルテックス」のなかへ入りやすい。

例えば大好きなペットのことを考えれば、ペットがいてくれて楽しい、ありがたいと思い、すぐに「創造のヴォルテックス」のなかに入れるかもしれない。ペットのことを考えるときには、嫉妬だの非難だの罪悪感だのという流れに抵抗する思考はないからだ。あなたがたにはぜひネコのことを――なんであれ「創造のヴォルテックス」と対立しないこと、自分のなかの安らかな流れを促すようなことを――考えて、本当の自分と出会う（もっと正確には本当の自分自身と融合する）のを感じてほしいと思う。たとえ自分のことは考えていなくても、それこそが最も高い自己評価だといえるだろう。わたしたちがあなたがたの立場なら、楽にいい気分になれることを選んで関心を集中し、「創造のヴォルテックス」のなかへ入るだろう。

物質の世界で暮らすあなたがたは「客観的になりなさい」「すべてについてプラスとマイナスをはかりにかけなさい」と教えられてきた。だが、ゲームをしていくうちに、物事のプラスの面は簡単に「創造のヴォルテックス」へと導いてくれるのに、マイナスのほうは「創造のヴォルテックス」から引き離すことがわかるはずだ。だから、**望ましくないマイナスの面に関心を向けながら「創造のヴォルテックス」のなかにいることはできない。**「自分がいい気分になることより大切なことはあり得ない」とできるだけしょっちゅう自分に言い聞かせていれば、「創造のヴォルテックス」がすぐそばにあることに気づくだろう。

人生の目的とは？

物質の世界で生きて、コントラストのただなかにいる人々は、よくこんなふうに考える。「わたしの人生の目的はなんだろう？」「わたしはなぜ、ここにいるのだろう？」。わたしたちがわかってほしいのは、あなたがたはこの時空の現実のコントラストを探って楽しもうとしてこの世界へやってきた。なぜなら、そのコントラストこそが新しい考えや願望が生まれるきっかけで、それどころか拡大・成長の源泉そのものだと知っていたから、ということだ。

わたしたちとしては、あなたがたがこの本を読んで、物質世界の身体に宿っている自分が創造という大きな全体像のなかでどんな場所を占めているのか、物質の世界のフォーマットを通じてどれほど重要な役割を果たしているのかをもっとはっきり理解してほしい、と期待している。

わたしたちがいちばん願っているのは、物質の世界の身体に強力に焦点を結び、物質世界の今という現実のなかにいても、あなたがたは——そしてわたしたちは——未来に実現することが約束された「波動の現実」を創造している、ということをあなたがたが思い出す手伝いをすることだ。そして、あなたがたがその願望の実現を目にし体験するのに必要な時間は、あなたがたが「創造のヴォルテックス」に入るのに必要な時間、それだけである。言い換えれば、あなたがたの気分や姿勢や感情は「創造のヴォルテックス」「波動の現実」、あなたがたが望むすべて、そしてあなたがたが既にそうなっている自分との「近さ」を示している。

あなたがたがある程度の時間、わたしたちの教えを学んでいれば、あるいはこの本の前に出た何冊かの本を読んでいれば、わたしたちがいろいろなプロセスを編み出して提供してきたことを知っているだろう。それらのプロセスはどれも、あなたがたを「創造のヴォルテックス」から遠ざけている抵抗を捨てさせるために考えられたものだ。

この本を締めくくるにあたって、非常にシンプルなプロセスをいくつか提案したい。このプロセスをいつも実践していれば、だんだんに、しかし確実に「本当の自分であるエネルギー」との調和を実現できるし、きっと「創造のヴォルテックス」に入っていける。「創造のヴォルテックス」に入って、いつもそこにとどまることができれば、物質世界での人生は一変するだろう。

「創造のヴォルテックス」に入るためのプロセス

自分の「波動」を上げて「創造のヴォルテックス」に入るために、必ずここに挙げたプロセスを実践しなくてはならないわけではない。多くの人たちはいい気分でいたいと思い、いつも気分のいい思考をすることで、簡単に「創造のヴォルテックス」のなかに入っていく。これから説明することを何も知らなくても、「引き寄せの法則」についてまったく気づいていなくても、「三段階の創造のプロセス」についてまったく知らなくても、自分が「ソースエネルギー」の延長であることを全然意識していなくても、いつも「創造のヴォルテックス」のなかにいることはできる。いい気分でいたいと思い、いい気分になれるほうへ思考を方向づけているだけでいい。例えば、あなたのおばあちゃんは誰についても何についても最善のことだけを見る明るい人だったかもしれない。そして「本当の自分とつながっていた」おばあちゃんという実例の影響で、あなたも同じことをしているかもしれない。だが、あなたもたいていの人と同じだとすれば、周りの世界を観察して、自分にとって役に立たない思考パターンを身につけているだろう。その思考パターンが、自分でも気づかないうちに「創造のヴォルテックス」からあなたを遠ざけているかもしれない。

あなたがなんらかの信念を持ち（信念とは常に抱いている思考にすぎない）、しょっちゅうそのことを考えて、その「波動」を活性化させているとしたら、「引き寄せの法則」によってその信念を裏づける証拠が引き寄せられてくる（望むか望まないかとは関係なく、考えたことが実現する）。だから、なんとかしてその信念に含まれた「波動」パターンを変えようと決意しないかぎり、経験は何も変わらないし、「創造のヴォルテックス」あるいは「既にそうなっている自分」や自分が望むことに意図的に近づくこともできない。

そこで、抵抗を捨てて確実に「創造のヴォルテックス」につながる道を見つけるためのプロセスをいくつか、これから説明しよう。

就寝時のビジュアライゼーション

今夜ベッドに入ったら、できるだけ気分のいいことに関心を集中しよう。今日あった気になる細かいことは頭から締め出し、気持ちを自分の内側に向けて今の状態だけを感じて、ゆったりとリラックスする。ベッドのことを一つひとつ考えよう。掛け布団、ベッドの具合、マットレスに載っている自分の身体。空中に浮かんでいるマットレスや、そのマットレスに沈んだ自分の身体をイメージしよう。気持ちを楽にして深呼吸し、ベッドに横になっている楽しさを味わおう。そしてこんなふうに言ってみよう。「ああ、いい気持ちだ。本当にいい気分だ。人生っていいものだ」。そして眠りにつこう。

目覚め

朝、目が覚めたら、目を閉じて横になったままで5分くらい、考えつくかぎりの楽しいことを思い浮かべよう。眠っているときにはすべての抵抗がなくなるから、目が覚めたときに抵抗を活性化しなければ、抵抗はよみがえらない。だから朝のベッドのなかの大切な5分間を、本来の高い「波動」をしっかりと固めるために使おう。楽しいことを考えて、できるだけその楽しさを維持しよう。ちょっとでも穏やかでない気分が顔を出したら深呼吸してベッドの心地よさに関心を向け、何かうれしいことを探そう。それから起き上がって、一日を始めよう。

フォーカスの輪

朝食と洗顔、歯磨きなどが済んだら、居心地のよい場所に座って、「フォーカスの輪」というプロセスを一つか二つ、実践してみよう。これは流れに対する抵抗を捨てて「波動のヴォルテックス」に関心を集中《フォーカス》するために特別に考えられたプロセスだ。実はこのプロセスは、刻々とスピードを速めつつ回転してすべてを引き寄せている「創造のヴォルテックス」のミニチュア版といってもいい。

校庭や公園などに置いてある、手で押す小型のメリーゴーラウンドを見たことがおありだろうか？ 子どもたちが群がって、メリーゴーラウンドの速度がどんどん速くなることがよくある。メリーゴーラウンドが止まっているときやゆっくり回っているときには簡単に乗れるが、本当に速くなったら飛び乗るのは難しいか、不可能になる。それでも乗ろうとすれば、はじき出されて草むらに転げ込むかもしれない。このメリーゴーラウンドを考えると、「フォーカスの輪」のプロセスは理解しやすい。

ごく普通の一日を過ごしていると、そのとき、あるいはあとで思い出して自分のなかで流れへの抵抗が起こるようなさまざまなことに出会う。それは新聞記事にあった不愉快な出来事かもしれないし、誰かに何かを言われたことかもしれない。いずれにしても自分のなかで流れへの抵抗が生じると、きっとネガティブな気持ちを感じるはずだ。そのとき、すぐに手をとめて新たに活性化された抵抗の思考を処理するというわけにはいかないかもしれない。だが、頭のなかでメモをとっておくことを——もっといいのは文字で記録することだ——お勧めしたい。「雇い主の態度にわたしは嫌な気持ちになった。彼はわたしの仕事を評価していない」というように。これが明日の「フォーカスの輪」のテーマになる。

さて、昨日あなたはベッドに横になって眠る前に流れへの抵抗を手放した。夜のうちにすべての抵抗がなくなった。目が覚めたとき、あなたはしばらく意図的にその無抵抗ゾーンの気分にひたる。それから朝食をとり、シャワーを浴び、歯を磨く。そのあと15分か20分の時間をとって、思考プロセスに残っているかもしれない抵抗を一掃しようと思う。それにいちばん適しているのは、いい気分でいる間だ。

雇い主の態度について書いたメモを読むと、抵抗の思考が再活性化するだろう。そこで大きな紙を用意し、いちばん上に「雇い主の態度にわたしは嫌な気持ちになった。彼はわたしの仕事を評価していない」と記す。

次に、用紙いっぱいに大きな円を描こう。さらにその円の中心に小さい円を描いて、周辺に12個、ちょうど時計の数字のある場所にも小さい円を描く。

人生の何かがきっかけで望まないことが特に明確になったとき、同時に自分が何を望むかもはっきりと浮かび上がってくる。雇い主は自分の仕事を評価していない、という思いに関心を集中すると、同時にわたしが仕事に関心を持ち事業の成功に貢献していることを雇い主に理解してもらいたいという願望が生まれる。それを大きな円の中心の円のなかに書いておこう。

さて、遊園地のメリーゴーラウンドのように、あなたはこの「フォーカスの輪」に乗る方法を探さなくてはならない。抵抗の思考が高速で回転していたら、あなたはこの輪に乗れないだろう。草むらに跳ね飛ばされてしまう。そこで、既に自分のなかにあって、大きな円の中心の円に書いたことと一致する考えを探さなくてはいけない。

例えば、あなたはこんなふうに考える。

・ボスはわたしを高く評価している(草むらに跳ね飛ばされる)。あなたはそれを信じてはいない。とにかく今はまだ信じていない

・あんなボス、自分には向いていないいんだ(これではいい思考を探す努力も感じられない)

「フォーカスの輪」の中心の円に書いてある言葉に関心を向け続けよう。そうすると、既に心のなかにあってこの言葉と一致する考え方が浮かんでくるかもしれない。

・ボスは会社の成功を望んでいる（その調子だ。あなたは輪に乗った）。この言葉を「フォーカスの輪」の12時の場所に書き入れよう

・わたしが入社したとき、会社は順調だった（まだ問題を解決したわけではないが、これはあなたが実感していることで、気分も少し明るくなる）。この言葉を「フォーカスの輪」の1時の場所に書き入れよう

・会社の仕事のなかにはとても楽しいことがある（これもあなたの実感だ。だいぶ調子が出てきた）。この言葉を「フォーカスの輪」の2時の場所に書き入れよう

・ボスとうまが合うときは、本当に楽しい（これも実感だし、気分もいい）。これは3時の場所に書き入れよう

・ボスと協力すれば、その効果を感じられる（ますます調子がでてきた。この調子で進もう）。これは4時の場所に書き入れよう

・ボスといるとインスピレーションがわくのを感じる（そら、絶好調だ。あなたの抵抗は消えた）。これは5時の場所

・ボスのほうもわたしがインスピレーションのきっかけになると思っているに違いない。6時の場所

・わたしたちはみんな同じ仲間だと気づいていると思う。これは7時の場所

・この仕事を失いたくない。8時の場所

・ボスはよくわたしに、プロジェクトの責任者になってほかの人たちを引っ張ってくれと言う。9時の場所

・ボスがわたしを信用しているのは確かだ。10時の場所

・ボスといっしょに仕事ができて、わたしは幸せだ。11時の場所

さて、次には円の真ん中に——前に書き入れた言葉の上に、あるいはその周り、いや用紙いっぱいにでもかまわない——はっきりと力強く、「ボスはわたしの価値を知っている」と書き込もう。

あなたはこのテーマについて「波動」を新しい場所に移動させた。それで引き寄せの作用点も変化し、「創造のヴォルテックス」とあなたの関係も変化した。これが「意図的な創造」の最善の形だ。この短いプロセスであなたは抵抗を手放し、ボスとの関係を改善し、自分を「本当の自分」と調和させた。あなたは「創造のヴォルテックス」のなかへ入った。もう「創造のヴォルテックス」のなかにいるのだから、「源《ソース》」の目で世界を見ることができる。

「肯定的な側面のリスト」作成プロセス

あなたは雇い主についての抵抗を手放し、この件については抵抗のない高い「波動」を達成した。この無抵抗のボールを自然に回転させていくことは、新しい「波動のベース」と引き寄せの作用点をしっかりと樹立するうえでとても大きな価値がある。言い換えれば、今の勢いが続いているうちにしっかりと足場を固めて、できるだけの成果を摘み取ろう。

さて、あなたは今「内なる存在」と調和しているから、雇い主とあなたの仕事について「源《ソース》」の目から見た肯定的な側面のリストを作っておこう。「創造のヴォルテックス」のなかでは、簡単なプロセスで済む。肯定的な側面のリスト作成をお勧めするのは、「創造のヴォルテックス」のなかにいることには、とても大きな価値があるからだ。だから長くとどまれればとどまれるほどいい。

白紙を用意して、いちばん上に「わたしの雇い主の肯定的な側面」と記そう。

・彼は事業を大切にしている
・彼は人を雇うとき、とても慎重だ

・彼は自分から進んで、プロジェクトを手伝うことが多い
・よく笑顔を見せる
・人に好かれている
・事業の経済的な基盤が健全だ
・人を雇う前から、事業を積極的に進めていた
・給料の支払いは遅れたことがない
・わたしはこの会社で働けてうれしい
・わたしはここの仕事が好きだ
・わたしはボスが本当に好きだ

このリストはもっと長くなるかもしれない。本当の自分と調和したあなたはとても冴えているからだ。どんどん言葉がわいてきて、ページが埋まるかもしれない。あとで見返して、ときにはうっとうしいと思う相手を褒めちぎっていることに自分でもびっくりするかもしれない。しかし、覚えておいてほしい。**この瞬間、あなたは「源《ソース》」の目で雇い主を見ているのだ。**

「感謝の乱発」のプロセス

この件について新たに獲得した高い「波動」を本当に確実にしておきたいと望むなら、次の最終プロセス、「感謝の乱発」に進むといい。もう1枚白紙を用意し、雇い主を褒める言葉をどんどん書いていくか、口に出して言ってみるのだ。

わたしが素晴らしいと思うこと……

彼の美しい車
儲けを事業に再投資すること
しょっちゅう社員にランチをごちそうすること
きれいな職場
事業の見通しの明るさ
事業の先行き
ここで働いているわたしたち社員の可能性

会社の世界に対する貢献
仕事上の柔軟性
ボスの学ぶ意欲
いいアイデアを大歓迎してくれること
素晴らしい笑い声
事業への献身
事業の安定性
ボスが与えてくれる仕事
冒険のスリル
拡大・成長の機会
わたしを拡大・成長させてくれるコントラスト
拡大・成長を可能にしてくれるわたしの「ナビゲーションシステム」
この世界
この素晴らしい技術の時代
わたしの人生!

「創造のヴォルテックス」のなかから見た人生

この本は、あなたがたに「波動の現実のヴォルテックス」の存在を受け入れて、できるだけその「創造のヴォルテックス」のなかに入ろうという意欲を起こしてもらうために書かれた。なぜならわたしたちは、あなたがたが創造した「波動の現実のヴォルテックス」のなかにいるという有利な立場にあるからだ。あなたがたの「創造のヴォルテックス」のなかから、わたしたちはあなたがたが求めたもの、したがって既にそこで実現しているあなたがたのすべてに関心を注いでいる。あなたがたが自分の感情に関心を払い、できるだけ気分のいい思考を安定的に確保するとき、あなたがたはいつでも望むままに「創造のヴォルテックス」のなかに入れる。そしてたびたび「創造のヴォルテックス」のなかに入れば入るほど、ますますそこに戻りたいと思うだろう。なぜなら、「創造のヴォルテックス」のなかの人生は最高だから。

そのときあなたがたの引き寄せの作用点は、望むものだけが流れ込んでくるように働く。出会う人たちはあなたの最高の関心と完璧に一致しているだろうし、あなたのスピードに合わない人たちと出会うことはないだろう。自分が精力的で生き生きしていて、頭が冴えわたって、自信があると感じるだろう。

あなたがたは(当人が気づいていてもいなくても)誰にも最善の部分を見いだすだろう。そして特に高く評価する具体的な何かに目を向けたとき、人生に感謝する気持ちがワクワクする興奮となって身体をかけめぐるのを感じるだろう。

だがときには(それもたびたびかもしれない)、スピードに合わないものを思い出したり見たりするかもしれない。するとあなたは「創造のヴォルテックス」から吐き出される。しかし心配はいらない。あなたがたは自分からそのつもりでコントラストのある環境に生まれ出たのだし、それは常にコントラストがきっかけとなって新しい考えが生じるからだ。だから、自分が何を望まないかを正確に知るという第一の「求める」段階を踏むのは、ごく普通のことだ。ただその瞬間にあなたは具体的な願望のロケットを「波動の預託口座」に向けて発射していること、あとになって抵抗という邪魔者を片づければ簡単に「創造のヴォルテックス」への道を見つけることができ、そこで以前のコントラストから生まれた成果を再び摘み取ることができることを思い出せばいい。

さて、これで全体像は理解できたと思うので、「三段階の創造のプロセス」に自信を持って進むことができるだろう。何かが起こって、求める気持ちが生まれたとき(今は「創造のヴォルテックス」のことも、どうすればそこに入れるかもわかっているのだから)、もう無力感にさいなまれて気をもむことはない。どんなに不愉快な問題にぶつかろうとも、そのときあなたからはもっとよくしたい、よくなりたいという願望、あるいは要求が発せられ、それを受けてあらゆる協力的な要素が集まって解決策がまとまり、あなたが「創造のヴォルテックス」に入るのを待っていてくれるのだ。

このことを、あなたがたは誰にも説明する必要はない。それどころか、説明しようと努力しても、人はあなたがたの言葉を理解できないかもしれない。だが、これだけは約束する。あなたがたはこの本を読んで自分の「創造のヴォルテックス」との関係を理解した。そのあなたがたの楽しい人生経験という力強い実例を前にして、ほかの人たちも知りたいと思うかもしれない。

今回もあなたがたとの交流はとても楽しかった。

ここにはあなたがたに対する大きな愛がある。そして、わたしたちはうれしいことに、いつまでも完了することはない。

エイブラハム

Part 6

エイブラハム・ライブ

「引き寄せの法則」ワークショップ

（この「引き寄せの法則」ワークショップは、２００８年10月19日日曜日にノースカロライナ州アッシュヴィル、２００８年９月13日土曜日にイリノイ州シカゴで行われた。このあとの文章は、読みやすいように記録に多少手が加えられている。またほかのテープやCD、書籍、ビデオ、カタログ、DVDなどを入手したい方、あるいはエイブラハム-ヒックス「引き寄せの法則」ワークショップへの参加を申し込みたい方は、アメリカの（830）755-2299に電話するか、Abraham-Hicks Publications P.O.Box 690070, San Antonio,Texas 78269 宛てに手紙で連絡してほしい。また、すぐにワークショップの様子を知りたい方はウェブサイト www.abraham-hicks.comでもご覧になれる）

子どものとき、ネガティブな「波動」を身につけたのではないか？

エイブラハム　おはようございます。皆さんとお目にかかれて大変うれしく思っています。共同創造のために集まるのはとてもいいことです、そう思われませんか？　皆さんは自分が何を望んでいるか、ご存じですか？　自分の願望の拡大を楽しんでいますか？　それならけっこう。これは最高の共同創造です。そうでしょう？

皆さんは自分が物質世界の身体よりもっと大きな存在だということを知っていますか？　物質世界の身体に宿った皆さんは、「もっと大きな見えない世界の部分」「源《ソース》」は常にあなたがたへ、またあなたがたを通じて流れていて、あなたがたと切り離すことはできないのだと知っていますか？　その「もっと大きな見えない世界の部分」は、あなたがたの身に毎日起こることに、たいていの人が思ってもいないような大きな役割を果たしていることを知っていますか？　あなたがたというこの「連続体」はとても深遠なものなのです。あなたがたは物質世界の身体に宿った「ソースエネルギー」なんですから。

そのことに気づいていない人が大勢います。それで「もし本当にそうなら、どうして人生はもっとうまくいかないのか？　もしわたしが物質世界の形となったソースエネルギーなら、どうしてもっと始終、天使たちがわたしのために歌ってくれないのか？」と言いたくなる。皆さんに知ってほしいのは、本当はいつでもあなたがたは「よい存在《ウェル・ビーイング》」なのだ、ということです。幸福はいつでも皆さんを取り巻き、物質世界でも見えない世界でもあらゆる場所のあらゆるものに広がっている。幸福はいつでもあなたがたへ、そしてあなたがたを通して流れています。自分が「許容・可能にする」度合いに応じてその幸福の証拠を体験するのです。

人生経験のさまざまを目にした皆さんはよく、ここには何か外部の力が、あるいは状況が働いているに違いないと感じます。何かややこしいことがあって、それが、わたしたちが皆さんのものだという幸福《ウェル・ビーイング》を遠ざけているのだろう、と感じるのです。幸福《ウェル・ビーイング》がうまく流れていないとき――お金が体験のなかに流れ込んでこないとき、どこか身体の調子が悪いとき、誰かに心を傷つけられたとき、欲しいものが手に入らないとき――あなたがたは（もっと違った人生であってほしいと強く望むあまりに）自分以外の何かが幸福《ウェル・ビーイング》の流れを邪魔しているに違いないと感じる。その気持ちはよくわかります。だが理解してほしいのは、あなたがた以外に幸福の流れを邪魔するものはいっさいない、ということです。

もちろん幸福がうまく流れない環境に生まれる場合はたくさんあります。両親が苦労しているとか、生まれた環境がめちゃくちゃだとか。だからほんの小さいころから周りの環境をつぶさに観察し始めたあなたがたが、幸福に抵抗するような「波動」を身につけてしまうのも無理はないのです。そんな抵抗がなければ幸福になれるはずなのですけれどね。

そこで、こんなふうに言う人が大勢います。「そうだ、それなんだよ。どうしてか弱い小さな赤ん坊が、周りの環境のせいで抵抗の『波動』を身につけてしまう環境に生まれなくてはならないんだね？　どうして赤ん坊が幸福の流れを妨げるような『波動』を学び取ってしまうんだ？」

わたしたちは答えます。**それはその赤ん坊が、か弱くて小さな、何も知らないように見える赤ん坊が、本当はこの物質世界の経験という場にやってきた「意図的な創造を行う天才的なソースエネルギー」だから、そしてコントラストを心配せず、コントラストを避けたいと思うどころか進んで抱き止めているから、常にコントラストから明らかな改善が生まれると理解しているからだ、と。**

だからこそあなたがたの世界の最も偉大なマスターたちは、コントラストに満ちた状況に生まれ出ることが多いのです。望まないことも望むことも、彼らの周りにあふれている。ところで、その強烈なコントラストのある環境に生まれたのがあなただと（あるいはあなたの知っている人だと）しましょう。そこでわたしたちが言いたいのは、強烈なコントラストのある環境に生まれたとき、そのコントラストはあなたにとって役立つだけではなく、あなたの拡大・成長のきっかけになるだけではなく（拡大・成長の成果はこの物質世界の身体に宿っている間に経験することができます）、「集団の意識」にも役立つし、本当のあなたでありわたしたち全員である「すべてであるもの」のためにも確実に役立つのだ、ということです。

宇宙では「引き寄せの法則」が作用する

さて、「ソースエネルギーであるあなた」は「見えない世界」に焦点を結んでとどまっており、その一部がこの物質世界の身体に宿っています。そして、コントラストはあなたがたに何を望まないかを教え、それゆえにあなたがたは何を望むかを知ることができます。ときには、あなたがたは何を望まないかを骨身に染みて知り、だから何を望むかも骨身に染みて知ります。ときには、何を望まないかをなんとなく知り、だから何を望むかもなんとなく知ります。どちらにしても、常にコントラストが「波動」の焦点を定めるように仕向けているのです。

ところで、あなたが生きるなかで出会ったコントラストをきっかけに何を望むかを知って、それを大声で叫んでも、さらに言葉で説明しても、あなたはいつでも「波動」の信号を出しているのです。すると、こう言う人たちも大勢います。「ああ、『波動』の信号か。『波動』の信号ね。そんなもの、わたしには関係ないよ。『波動』の信号なんて」。そこでわたしたちは言うのです。関係は大ありですよ。なぜなら、あなたがたは「引き寄せの法則」が貫徹する「波動の宇宙」に生きているのだから。「引き寄せの法則」は宇宙に充満する「波動」に反応し、「波動」を律して――区分けして――それ自身に似た「波動」を引き寄せるのだから、と。だから自分が「波動の存在」で、いつも願望という「波動」の信号を出していると認識することが重要なのです。ここで、あなたがたが忘れているかもしれない、特に重要なことをお話ししましょう。人間としてのあなたがたが何を望むかということ「波動」を出すとき――自分が何を望まないかを知って、それゆえに何を望むかに気づくとき――何を考えるにしても、あなたがたの経験のなかには望むことと望まないことが「波動」として同じだけ現れる、ということです。

お金が十分でないとすれば、足りないと思うのと同じ度合いで、お金を求めるのです（おわかりになりますか？）。ちょっと具合が悪いなら、ちょっと快くなりたいと思う。すごく具合が悪いなら、すごく快くなりたいと思います。言い換えれば、物質世界の体験に関心を向けるとき、何をどのくらい望まないかと何をどのくらい望むかは「波動」としては同程度なのです（どうですか、そのあたりがのみこめましたか？）。

口に出しても出さなくても、あなたは「波動」を出しています。そのとき、あなたの「見えない世界のソースエネルギー」の部分は、新たに改善され付け加えられた要求あるいは願望のバージョンに関心を集中します。そして「見えない世界の見通しのいい地点」から、その新しい場所へと拡大・成長するのです。それも、たった今。

それは「あなたのより大きな部分」の「波動」(永遠の見えない世界にいる部分のあなた、より大きな部分のあなたですね)……その「波動」が変化した――それも、あなたが生きたコントラストのおかげで――ということです。そして、コントラストを生きたあなたが願った「波動」のなかで大きな部分のあなたと一つになれば、たった今、素晴らしい瞬間を味わうことになります。だが、そうならないことも多いんですね。

自分が何を望まないかを知って、それによって何を望むかを知る代わりに、そして望むことに関心を向ける代わりに、いつまでも望まないことというドラムを叩き続けてしまうことも多いのです。実はこれだって悪くはありません。ただ、そんなことを続けていれば自分のためにはならない、というだけです。言い換えれば、人生があなたを拡大・成長させたけれど、あなたはついていかなかった、というわけです。人生はあなたをもっと大きくしたけれど、あなたは相変わらず、もっと欲しい、もっと豊かになって当然だと自分を正当化し、自分が大きくなっていないという事実を嘆き、欲しいものを得られないと思って嫌な気分になり、自分にはないものを他人は持っていると文句を言い、ここには自分が欲しいものがない、なんて嫌なところだと強調し、ここにいることに不満を言い、ここに自分がどれほど長くいるかを説明し、ほかにもここには大勢の人がいると指摘し、ここにいる者のクラブなんか作って――本当はあっちに行きたいのだと思っている（おかしいじゃありませんか）。

オンラインのチャットみたいですね。「わたしたちはここにいる、ここにいる、ここにいる、ここにいる。それなのにあの連中はあっちにいる。あの連中はきっと何か悪いことをしているに違いない（おかしいじゃありませんか）。きっと人を騙しているんだ。麻薬取引をしているに違いない。生まれつき恵まれているに違いない。だが、わたし以上に幸せになる権利を持っているわけじゃない。それなのに、わたしにはない。わたしにはない。わたしにはない。わたしのものはどこにあるんだ？　どこにあるんだ？　どこにあるんだ？　どこにあるんだ？」（おかしいじゃありませんか）

つまり、あなたがたは（自分はそんなつもりはなくても）願望のきっかけになった「波動」のなかにいるが、「持っているという波動」から求めているのではなく、「持っていないという波動」から求めているわけです。でも、それも当たり前でしょう。おわかりになりますか？　欲しいものがないときには、持っていないという場から求めますよね。でも「わたしには必要なものがない。必要なものがない。必要なものがない。欲しいのに。それはどこにあるんだ？　欲しいのに。それはどこにあるんだ？」という「波動」のなかでもたもたしているのが感じられますか？　その「波動」は「わたしは欲しいものを持っている」という波動とどれほど対立するか、感じられますか？

求めた瞬間に、あなたのなかの「源《ソース》」が（ここはとても大事なところですから、よく聞いてください。あなたがたの感じ方、すべての人のあらゆる感じ方を説明しますからね）……願望の「波動」と一致したのに、あなた自身が一致しないと、あなたはその不調和を感じるのです。

さあ、肝心なところを説明しますから、よく聞いてください。あなたが持っている以上のものを求めないとしたら――だから自分のなかの「源《ソース》」を新しい「波動」の場所に送り込まないとしたら――あなたは元のままで別に不調和を感じません。だが厄介なのは、宇宙全体があなたの拡大・成長を促していることです。あなたは同じ場所にとどまってはいられない。どの瞬間にも、どこの場所にいようとも、常にあなたは拡大・成長するように促されている。その拡大・成長についていかなければ、あなたは自分が引き裂かれるという抵抗感を覚えるのです。

友人が拡大・成長しろとせっつくのか？

だからあなたが高揚感を覚えていれば、それは拡大・成長したということですし、そう考えているあなたは拡大・成長についていっているということです。愛を感じれば、それは拡大・成長したということで、そう考えているあなたは愛という思考についていっています。関心を覚えれば、興奮を覚えれば、情熱を感じれば、調子がよくて、元気いっぱいで、ワクワクしていれば、それは拡大・成長したということで……その瞬間のあなたは、「本当の自分」に自分を一致させないで遠ざけるという、人がよくやることをしていないのです。

だが、どんなときでもいら立ちや怒りや恐怖を、あるいは無力感を覚えるなら、そんな嫌なネガティブな気持ちになっているなら、それは、その瞬間あなたの心のなかで何かが起こっているということです。あなたはしゃべっているかもしれない。ブログを書いているかもしれない。何かが心のなかで起こっており、それは「本当の自分」とはまったく外れている、ということなのです。そしてあなたが感じるネガティブな気持ちは、その分離の指標です。いや、分離というのはきつすぎるかもしれないが、しかし、わかってほしいのです。あなたがたがネガティブな気持ちになるとき、それは要するに「見えない世界のあなた」とずれてしまったことを示しているのです。

さて、ここで重要なことを知っておかなければなりません。人生があなたに拡大・成長を促さないなら、ついていく必要もありません。すると、あなたがたは言うかもしれない。「そう、そこなんだよ。こんなにコントラストだらけでなければ、わたしは拡大・成長しないだろう。拡大・成長しなければ、ついていく必要もない。のんびり座っていればいいんだ」。そこで、わたしたちは言うのです。それはできないよ。なぜなら、あなたがたは常に拡大・成長を促す選択肢というビュッフェの真んなかに立っていて、それをやめることはできないのだから。

わたしたちは「永遠に焦点を定めた存在」で、これは自己中心的に焦点を定めているということでもあります。わたしたちは――わたしたちすべてが――存在のあらゆるレベルで（細胞レベルでさえ）改善を求め、改善を求め、改善を求め続けているのです。これがちょっと厄介なことだというのはおわかりでしょう。文句を言いたくなるのも無理はないかもしれない。しかし、事実はそうなんです。コントラストがなければ、改善を求めることもない。だが、改善を求めるきっかけとなるコントラストそのものが、あなたがたが前進しようとしない口実になる（不思議だとは思いませんか？）。

これは友人（おおざっぱに言って、ですが）がいるみたいなものです。その友人はあなたに拡大・成長しろとうるさくせっついている。友人は長いこと、あなたの悩みの種だったが、放り出すことができない。なぜなら、あなたはこの友人について熱心に語り続け、「引き寄せの法則」が友人をあなたのいる場所に引き寄せ続けているから。たとえ世界の果てまで行ってしまい、この友人と離れたとしても、すぐに別の人がこの友人の代わりを務める。あなたの「波動」のなかで何かが活性化していれば、「引き寄せの法則」によって何度でも同じものが引き寄せられてくるからです。

というわけで、あなたには拡大・成長しろとうるさくせっつく友人がいる。この友人は本当に自己中心的な自分に忠実で、自分自身の気分がよくなるようなあらゆることをする。だから、この友人は拡大・成長しろとあなたを――本当に癪にさわるくらい――うるさく、しかも効果的にせっついている。この友人とはとても長いつきあいで、なんとなんと、あなたが拡大・成長してきたのも大部分はこの友人との関係のおかげなのです。あなたは拡大・成長し、拡大・成長し、拡大・成長する。そこで、あなたがうるさがっているこの友人こそがあなたの「波動」の拡大・成長の大部分の責任者であり、あなたのなかの「源《ソース》」はこの心地よくない関係のおかげで劇的な利益を得ているといえるのです。**この友人こそがあなたの拡大・成長の責任者です。ところで、ここで興味深いことがあります。**あなたがたいていの人たちと同じなら、この友人とコントラストの経験を、友人が促した拡大・成長についていかない口実として使っているのです。

だからこそ、あなたはこの友人に本当に頭にきて、怒っています。あなたがたは「波動」として固く結び付いている。言い換えれば、この友人はあなたの拡大・成長の共謀者です。だがあなたはこの関係の細かい部分を口実に拡大・成長を拒んでいて、だから、こいつを頭のなかから追い出せない。それで、すべてはこの友人がいけないのだと思う。気がついたことがあるかもしれないが、そういう状態が続くと（ほとんど誰でもある程度は身に覚えがあるものですが）、しばらくは何を見ても、あいつが、あいつが、あいつが、あいつが、という気になってしまいます。

言い換えれば、自分がいい気分になれない口実はいつでも見つかる、ということです。「こいつさえ叩き伏せてしまえば、やっつけてしまえば、悪者はいなくなるのだから、わたしはいい気分になれるはずだ」というわけです。

だが、わたしたちが言っているのは、あなたがたは気にかかるすべてを追い払うことはできない、ということです。そうではなくて、気にかかるものの「波動」を追い払わなくてはいけない。気にかかるものの「波動」を追い払えば、もう気にかかることは何も起こりません。

でも、あなたの「波動」から何かを追い払うことはできない。引き寄せをベースとしたこの宇宙では、排除ということはないからです。引き寄せベースの宇宙では、「加えること」だけがある。つまり、望むものを見てイエスと言えば、それがあなたの「波動」に加わる。けれど、望まないものを見てノーと叫んでも、それがあなたの「波動」に加わります。**望まないことを引き寄せないようにする唯一の方法は、望むことに関心を向けることです。だが、そのときにはちょっとだけ踏み出さなくてはならない。**

こういうことを話しているのは、自分を少しだけホッとさせるというやり方を教えてあげたいからです。あなたがたの「波動」のなかで何かが活性化していたら、そしてしばらくそこに関心を向けていたら、ラジオ局を変えるように急にほかのチャンネルに切り替えることはできません。言い換えれば「感情のスケール」の目盛りを少しずつ上げていくしかないのです。自分を訓練して(これはぴったりの言い方です)、自分を訓練して、しょっちゅう何かについて文句を言うように仕向けたとします。確かにその文句は当たっているでしょう。あなたが文句の理由をでっちあげたわけではない。確かにあなたの言うとおりのことが起こっている。彼らはもっとうまくやれるはずだ。彼らはもっと感じよく振る舞えるはずだ。もっと調子がよくて、元気いっぱいで、ワクワクしていてもいいはずだ。もっと調子がよくて、元気いっぱいで、ワクワクしていれば、あなたはその人たちを見るだけでいい気分になれる。あなたはそのことを知っている。だってあなたの人生には本当に愛すべき仲間たちもいるのだから。その仲間は毛皮をまとったり、羽を生やしたりしているかもしれない（おもしろいでしょう）。でも大半は、大半の人たちは、自分の「波動」をコントロールしていない。だから、あなたがたが誰かに「わたしが見るとき、あなたは『本当の自分』といつも調和していなくてはいけない。そうすればわたしも『本当の自分』と調和できるから」と言っても、それはできない相談だ、ということです。

あなたがしなければならないのは自分自身の「波動」をコントロールすること、そしてほかの人たちには「わたしがいい気分でいるために、あなたが『本当の自分』と調和する義務はない。自分の環境を――過去、現在、未来を――見渡して、『本当の自分』と調和するのは、わたし自身の仕事です」と言うべきなのです。言い換えれば、あなたはまったく間違った場所に愛を探しているということです、友よ。あなたが探すべき場所、愛を見つける場所は、拡大・成長したあなた、「ソースエネルギー」であるあなた、愛であるあなたの部分なのです。その「波動」に自分自身を合わせなさい。

あらゆる協力的な要素が集まっている

そこで、あなたがあることを「本当の自分」と波動を一致させない口実に使っているとします（これは何でも同じです）。さらにあなたは「感情というナビゲーションシステム」を活用しています。あなたの感情は指標です。いい気分でいればいるほど、あなたと「見えない世界のあなた」のギャップは小さい。嫌な気分でいればそれだけ、あなたと「見えない世界のあなた」のギャップは開いています。あなたがしょっちゅう不満を言って嫌な気分でいるなら、自分で自分の「波動」を方向づけて、素晴らしい人生を邪魔しているんです。するとあなたは言うかもしれない。「だって文句を言いたいことがたくさんあるんだよ」

そうかもしれない。でも、あなたが不満を言う「波動」へと自分を仕向けているから、その思考習慣のために幸福《ウェル・ビーイング》が阻まれている、とわたしたちは言っているのです。するとあなたは言うでしょう。「それじゃ、どうすれば波動を変更することができるのか？」と。

それには、できるだけしょっちゅう――意識的、意図的に――今いる場所から見つかるかぎりで最高の考えをつかむことです。最悪ではなく最高の考えをつかむのです。「こんなひどいことになったらどうしよう……」というドラムではなく、「こうなったら素晴らしいなあ……」というドラムを叩くのです。「こんなの、もう本当に嫌だ」というドラムではなく、「これが本当に大好きだ」というドラムを叩くのです。

あなたがたは「ソースエネルギーの波動」で、その「波動」が本来あなたがたのものである幸福《ウェル・ビーイング》へと力強くあなたを呼び寄せていること、その「源《ソース》」の呼び声に耳を傾けて、その「波動」を感じれば、そして少しでも気分のいい思考をいつも目指していれば、気がつかないうちにあなたの心で活性化しているすべてに関して、あなたと「見えない世界のあなた」の「波動」のギャップは縮まっていきます。そうなればあなたは楽しくて進歩的で満たされた、直観的で愛すべき、活力のある、生き生きと元気な「存在」になるでしょう。それが生まれたときの本来のあなたがたなのです。すべての仕組みを理解すれば、これはそう難しいことではありません。言い換えれば、せっかくこの集まりに参加しても、自分は「ソースエネルギー」だと理解するだけで帰ってしまい、物質世界の身体に宿っている今、自分を「本当の自分」の「波動」と調和させなければ、いい気分にはなれないだろう、ということです。

強力な「引き寄せのヴォルテックス」のなかへ入る

それでは「創造的なプロセス」がどんなものか説明しましょう。あなたがたは「ソースエネルギー」だった。その一部が今の身体に宿ったわけです。あなたがたはほかの人たちと交流する。そして常に願望のロケットを先へ先へと打ち出し、あなたがたのなかの「源《ソース》」がその願望を受け止めてくれます。

さて、あなたがたの周りにあるものはすべて、以前は「波動」だったものの延長、あるいは拡大バージョンであることをご存じでしょうか？　すべては最初は「波動」だった。「思考という形」をとる前、あるいは現実に形をとる前には「波動」だったのです。だからこの世界、軌道を巡っているこの地球も、あるときはただの概念、「波動」としての概念だったわけです。ところが今、あなたがたは完全な人間として、ほかのすべての物質世界の存在とともにこの世界に存在し、この時空の現実の「波動」を解釈している。あなたがたの周りにあるもの、あなたがたが物質として知っているもの——それは全部、思考の延長にすぎません。

あなたがたの未来に現れるものはすべて、わたしたちが「波動の現実」とよぶもの（前には「波動の預託口座」とよんでいました）のなかに「波動」として今、完全に存在しています。

ところで、「ふん、『波動の現実』か」と小ばかにする人たちがたくさんいます。でも「波動の現実」をばかにしてはいけません。なぜなら、すべての「現実」は「波動の現実」からやってくるからです。あなたがたが「許容・可能」にすれば、あっという間にやってきます。

あなたがたは「最先端」にいます。思考が生まれてから形をとるまでの時間は、多くの場合、秒単位です。あなたがたは多くの場合、瞬間的な実現の瀬戸際にいる。その理由はこうです。あなたがたは創造ということでは新米ではない。ベテランの創造者です。そして、この物質世界の身体に宿る前でさえ、たくさんのものを創造へと押し出していました。この地上に踏み出す前から、あなたがたには活動し続ける「波動の預託口座」があったのです。そして今、この前誰かとかわした会話、この前テレビで見たこと、この前読んだ本、この前見た映画、この前抱いた思考によって「波動の預託口座」の残高は増加します。「波動の預託口座」は増え続けている。いや、高速回転しているのです。それは巨大な「引き寄せのヴォルテックス」です（皆さんは「引き寄せの法則」について聞いたことがあるでしょうが、「引き寄せの法則」のパワーをちょっとでも理解している人はあまりいません。世界を創造しているのは「引き寄せの法則」なのです）。さあ、ここに高速回転しているエネルギーがあります。これはなんなのでしょう？　皆さんは生まれる前からこのエネルギーを生み出していた。そして日々物質世界を経験しながら、このエネルギーを生み出し続けているのです。

　それが「生成のヴォルテックス」です。この「生成のヴォルテックス」、この「波動」——あなたがたが望むものすべての純粋な「波動」、あなたがたが求めるもっといいもののすべて——それが高速回転し、回転し、回転し、回転しているのです。そして**「引き寄せの法則」がすべてを**（ここをよく聞いてくださいね）、**すべての協力的なパーツをそこに引き寄せているのです。**

　わたしたちは何を言っているのでしょう？　協力的なパーツとは「波動が一致したもの」ということです。あなたには恋人がいない。あなたは恋人を求めます。あなたの恋人にはお金がない。あなたはもっとお金を持っている恋人を求めます。あなたの恋人はあなたをあまり好きではない。あなたは本当に自分を好きになってくれる恋人を求めます。あなたと恋人は価値観が一致しない。あなたは価値観が一致する恋人を求めます。

　言い換えれば、あなたは「預託口座」を作るのです。その「預託口座」では「波動」が生きていて、リアルで、引き寄せる力を持っています。そこにはあらゆることについてのあなたの欲求があります。あなたの求めが息づいている。そしてあなたのなかの「源《ソース》」があなたの願望のめんどうを見てくれる。あなたの願望を知ってくれる。いや、願望そのものになります。すると「引き寄せの法則」が、世界を創造した強力な「法則」が、協力的な場所や人や出来事やモノを引き寄せるのです。あなたの望みを実現するために必要なすべてのものが、この強力な「引き寄せのヴォルテックス」に引き寄せられているのです。

そこで、あなたがたに考えていただきたい問題があります。あなたは協力的ですか？

あなたは自分の願望に協力的ですか？

「いや、わたしは望むものを持っていないので、しょんぼりしている」

あなたは恋人と「波動」を一致させていますか？

「いや、恋人には猛烈に頭にきている」

あなたは自分が求めている幸福《ウェル・ビーイング》と波動を一致させていますか？

「いやいや、わたしはオンラインのチャットグループに入って不満ばかり言っている（おかしいですね）。なんて嫌な世の中なんだと一日じゅう、文句を言ってますよ。いや、わたしは、人間として存在するわたしは、自分の創造に非協力的な要素だ」

するとあなたの創造はどうなるでしょう？　誰かほかの人のものになってしまうのでしょうか？　いや、そんなことはありません。人は人、ごっちゃにはなりません。

「それじゃ、わたしの創造は消えてしまうのか？」

いいえ、ただもっと大きくなるだけです。

コントラストに満ちた現実は別に悪くはない

あなたがたには、例えば他人の行動のような、コントロール不可能なものをコントロールしなくてはならないという思いを手放す気になってもらいたい。いや、その気になるだけでなく、決意してもらいたい。それも断固として決意してもらいたいのです。そして、自分がコントロールできるものにだけ、つまりその状況で自分がどう感じるかということにだけ、関心を集中してほしいと思います。言い換えれば、この集まりが終わったとき、「わたしはありのままの人生を受け入れ、そこでベストを尽くそうと決めた」と思って帰っていただきたいのです。

起こることに悪いことは一つもありません。なぜなら、一見どれほど悪い事態のように見えても、コントラストというものはどれも必ず、あなたが何を望むかを明確にするのに役立つからです。このことは決して忘れないでいただきたい。そのときどんなふうに見えようとも、コントラストはあなたの拡大・成長に非常に役立ちます。そして、あなたがたが「うまくいかなかった」と思う人生経験はすべて、うまくいくこととそのときのあなたの見方に距離があることを意味しているにすぎません。言い換えれば、あなたは実は巨大な「波動」の富を貯えていて、その富を利用するのに必要なのは自分が望む方向を見ようとする意志だけだ――そうすれば、もう望まないことに目を向けないから――ということを受け入れれば、人生はたちまち好転するのです。

これが皆さんへのわたしたちの最大のメッセージです。あなたがたの人生は本来素晴らしいものです。自分が気づいているかどうかは別として、あなたがたはいつでも、自分のあらゆる求めに応じて流れてくる恵みのハリケーンをまるごと受け取りながら生きていま す。あなたがたの誰一人として、その恵みを受け取れない人はいないのです。皆さんはすべて、この幸福《ウェル・ビーイング》のハリケーンの真っただなかにいます。そのことを理解し、常に自分に向かって流れている幸福《ウェル・ビーイング》と価値を受け取ろうという気になり、その気配を感じ取ればいい。その気配を感じ取る最善の方法は、今いるところでいちばん肯定的な側面を見つけようとベストを尽くすことです。高く評価できることを探しましょう。そんなことは多くはなくても、です。いい気分になれることを探しましょう。嫌な気分になることのほうが多くても、です。今ここで最高にいい気分になれるように「波動」の流れを決めようという決意で、人生経験のいちばんいいことに目を向けるために最善を尽くしましょう。

今日はどこへ行こうとも、何をしようとも、誰といっしょに行動しようとも、見たとき、聞いたとき、嗅いだとき、味わったとき、触れたときにいい気分になることを探して必ず見つけてやるぞ。今この状況でいちばんいいことを探し出して経験し、存分に味わい、大いに楽しんでやるぞ。これをおまじないにすれば、皆さんは自分の手が届くかぎり最善の「波動」に自分を合わせられるでしょう。そしてさらに最善の、さらに最善の、さらに最善の――どこまでも最善の「波動」に調和するでしょう。そうすれば自分でも気づかないうちに、「波動の預託口座」「波動の現実」で起こっていることと共振しているはずです。

自分の「創造に関する波動のヴォルテックス」と出会う準備はできましたか？

「波動の現実」は高速回転しつつ生成していますが、「怒り」や「恐怖」や「絶望」を感じるときには、あなたはそこから遠く離れています。希望に近づいたら、希望らしいものを感じ始めたら、もう圏内です。希望を持ったとき、「波動の現実」があなたを引き寄せてくれます。そしていいことが起こると信じたとき、あるいは期待したとき、あなたは「創造のヴォルテックス」のなかです。そこに入れば、あなたはもう非協力的な要素ではなくなります。あなたは財産と出会うはずです。活力と出会うはずです。明晰さと出会うはずです。恋人と出会い、愛すべき隣人と出会い、周りでは望みどおりのことが起こるはずです。いい気分の圏内に入りさえすれば、自分がそこに預けたすべてのいいものと出会うのです。**そうなるように自分を訓練することができます。それもたった一日で。**

明日になったら、「本当の自分」と「波動」が本当に近くなって、その証拠があなたの目の前に現れるでしょう。あなたにはその動きが見えてきます。銀行の口座は望むほうへと変化するでしょう。近所の人たちは愛想よく協力的になるでしょう。**自分が出す「波動」をコントロールできれば、出会うすべてをコントロールできます。そして、自分がどんな気分かを大事にすれば、自分が出す「波動」をコントロールできるのです。**

自分がどんな気分かを大事にして、最高の気分になるように心がければ、ごく短い時間で「既にそうなっている本当の自分」と「波動を一致」させることができます。すると人々はあなたを見て、言うでしょう。

「いったい何があったの？　あなたはいつでも幸せそうだし、いつ見ても何か素晴らしいことが起こっているんだね」

あなたは答えます。「わたしは『ヴォルテックス』のなかに入ったんだ」

人は聞き返します。「なんだって？」

あなたは言います。「だからさ、わたしは『ヴォルテックス』のなかに入ったんだ。『ヴォルテックス』のなかにいるんだよ」

「なんだって？　どうやってそこに入ったの？　扉はどこにあるんだい？　扉は？　わたしもそこに入りたい」

あなたは言うでしょう。「あなたにはあなたの『ヴォルテックス』がある。そこに入る道は自分で感じ取らなくてはいけないんだ。決まったシナリオはないんだよ。詳しいマニュアルはないんだ。目に見える扉もない。鍵の暗証番号もない。そこへの道はただ感じ取るんだよ」

「それじゃ、どうすればそこへの道を進んでいるとわかるんだい？」

「さっきよりいい気分になるから」

「そうか。だが、わたしは復讐したい気分だ」

「それなら、正しい方向へ進んでいるかもしれないよ。復讐したい気分の前は、どんな気分だった？」

「そうだな。復讐したい気分の前は無力感を覚えていたな。でも今は復讐したい」

「けっこう。あなたは前進しているよ」

「復讐したいと感じているのに、『幸福《ウェル・ビーイング》のヴォルテックス』への道を進んでいるって？」

「そうだとも。だから無力感に戻ってはいけない。そうすれば先へ進める」

「復讐したい気分の次はなんだろう？」

「怒り。大勢の人にすごく腹が立つだろうな」

「ああ、覚えがあるよ」

「それじゃ、もう一度そこへ行くんだね。怒りを感じるときには、前進しているのだから。怒りは復讐よりもいい。『ヴォルテックス』に近いんだよ」

「そのあとはなんだい？」

「不満。参ったなという気持ち。自分ってつまらないヤツだなという気持ち」

「なるほど。なんとなくわかってきたよ。そのあとは？」

「希望」

「そんなもの、長いこと感じたことがないな」

「それじゃ、楽しみにするんだね。希望を持つことを楽しみにするといい。だって希望に近づけば、『ヴォルテックス』に入れるんだから（と、友人に話してあげるといいでしょう）。ときどき（毎日かもしれない）自分が経験の意図的な創造者だという証拠になることが起こるよ。ほんの二つか三つでも希望を持っていれば『ヴォルテックス』のなかに入れるし、そうすれば信じられる。希望を持てば——それは難しいことじゃない——しょっちゅう『ヴォルテックス』のなかに入れるし、そうなれば信じることもできるようになるさ」

「信じるって、何を？」と友人は聞くかもしれません。

・自分には思考のパワーがあると信じ始める
・この宇宙はいいものだと信じ始める
・自分という存在には高い価値があると信じ始める
・本当の自分のパワーを信じ始める
・協力的な「引き寄せの法則」を信じ始める
・なんでも可能だと信じ始める
・自分が自分の現実の創造者だと信じ始める
・自分の感じ方に関心を向けることで、思考をコントロールできると信じ始める
・自分はなんにでもなれるし、なんでもできるし、なんでも手に入ると信じ始める

「わたしにはそれがわかっている」とあなたは友人に言うでしょう。「今、『ヴォルテックス』のなかにいるからね」

それでは「ヴォルテックス」とはなんでしょう？　それは要するに「波動」「既にそうなっているあなた」の進んだ言い方にすぎません。宇宙の協力的なパーツのすべては既にそこに集まっています。そこであなたを待っているのです。そうわかるとうれしくはないですか？　あなたを待っている、あなたを待っているのですから。

それじゃ何が邪魔をしているのでしょう。「これは気に入らない。これは気に入らない。これは気に入らない」。日々の経験のほんとにつまらない、どうでもいいささやかなこと、それをあなたは「ヴォルテックス」のなかに入らない口実にしています。それって、怠惰ではありませんか？　悲観的な考え方も可能ですが、同じように簡単に希望に満ちた考え方だってできるのです。何かをけなすことも可能ですが、同じように簡単に褒めることもできるのです。政府を称えることだってできます……いや、もっと簡単なことから始めたほうがいいかな（おかしいですね）。嫌な気分になる理由を見つけるのと同じくらい簡単に、いい気分になる理由だって見つけられるのです。テレビをつけたり消したりするのと同じくらいに簡単に。

「引き寄せの法則」と法則に則った前提

さて、わたしたちはこうして集まっていますが、皆さんがわたしたちの本を読んでいるか、あるいは今まで話したことを聞いたことがあるかはともかく、わたしたちが提供しているすべて、エスターがわたしたちの「波動」を通訳して語るすべての言葉は、皆さんに「引き寄せの法則」に則《のっと》った正当な前提を思い出して認識してもらいたいためだ、ということをおわかりいただきたいのです。皆さんが「法則」をきちんと理解し、その理解に立って「法則」を検証しようとすれば、どんなときでも例外なくその前提が証拠だてられるはずだからです。その前提とは、こういうことです。

・あなたがたは自分の現実の創造者である
・あなたがたはこの物質世界の身体に宿る前から価値があったし、ここにいる今も何があろうと関係なく、価値がある
・あなたがたはこの物質世界の身体という肉と血と骨でできた存在である以上に、「見えない世界のソースエネルギーの波動」である
・「引き寄せの法則」はすべての人にあまねく平等に作用している
・すべてのもの、すべての人に作用している「引き寄せの法則」とは、それ自身に似たものを引き寄せるということで、だからどんな「波動」が活性化しても「引き寄せの法則」はそれと似たものを引き寄せ、その「波動」をさらに活発にする
・あなたがたは「ソースエネルギー」で、その視点に「引き寄せの法則」が作用している。また、あなたがたは物質世界の「最先端」に焦点を結んだ天才的な創造者で、思考の「最先端」、完璧な多様性をもつ時空の素晴らしい身体に宿っている。そして「引き寄せの

法則」はあなたがたのこの側面にも作用している

・「引き寄せの法則」はあなたの「波動」の両面に作用しているから、あなたは二つの「波動」が調和しているかいないかを感じ取る。いい気分でいればそれだけ、物質世界の部分であるあなたはもう一つの部分のあなたと同調している。気分が悪ければそれだけ、物質世界の部分であるあなたはもう一つの部分のあなたとずれていて、同調していない

・物質世界の人生を生きて、何を望まないかを知らされるとき、あなたは――口に出しても出さなくても――何を望むかも知ることになる。そのときあなたは「波動」の要求を出し、あなたの「もっと大きな部分」がそれを受け取り、それに応えて、ただちにそれになる。その瞬間に「引き寄せの法則」が新たに形成された「波動」のバージョンのあなたに作用し始める

・「波動の現実」というものがあり、常に中身を豊かにしている。それが真実のあなただ。また物質的な現実、幸運なことに現れて現実化した「見て、味わって、嗅いで、聞いて、触れることができる」現実もある。その現実は既に実現している「波動の現実」とほんのわずかだけ違っている。波動の現実についてそれなりの期間考えていると、それは形となって現れ、その波動がどんなものであったかをあなたに示すだろう

・あなたが生きるすべては、あなたの「波動」の混在の表れ、指標である

・あなたである「よいあり方《ウェル・ビーイング》」、常に生成するプロセスは非常に大きくて非常に長く（永遠に）続いており、その「よいあり方《ウェル・ビーイング》」は常に勝利である。だが、それを経験するには何かがくたばらなければならない

わたしたちが「許容・可能にする術」（「本当の自分」との波動の調和を見いだすこと）の理解を強調している「引き寄せの法則」セミナー、これは皆さんが「本当の自分」との波動の調和を実現できるように手助けするものです。皆さんに思いどおりの人生を生きてもらいたい。そして、元気で気分がよくて純粋で前向きなエネルギーを放出してほしい、そんなエネルギーがにじみ出る人に、本当のあなたがたである愛そのものの人になってほしいのです。

物質世界の現実にいる皆さんの最大の誤解は、賛成できないことを誰かにされたときにはそれを指摘したほうがいい、そうしないともっとひどくなる、というものです。それが現実だとしても、何が気に入らないかを指摘すればするほどその波動パターンが続くことになり、皆さんの望むことは妨げられます。

活性化していただきたい最も力強い前提、人生の日々のすべてで皆さんのためになる前提とは、こういうことです。信念とはわたしが考え続けている思考にすぎない。**信念とは**

わたしが考え続けていることにすぎない。信念とは習慣的な思考にすぎない。身についた思考にすぎない。信念とは、わたしがしょっちゅう考えている思考にすぎない。

どうして、これがそんなに重要なのでしょうか？　皆さんが何かを望み、でもその反対のことを信じていたら、その対立する信念が願望の実現を妨げるからです。何かを望み、そして信じていれば、そこに分離はありません。出している信号は一つで、きっと「引き寄せの法則」がすぐに実現してくれるでしょう。でも何かを望み、同時に疑っていたら――望んでも信じなかったら――対立する「波動」を出すことになります。一生ずっとそのパターンを続けるはめになるかもしれません。

「欲しいが、しかし……」「欲しいが、しかし……」「そうなったら素晴らしいけれど、でもわたしにはそんなことは起こらない」「本当にそれが手に入ったらいいんだけれど、でもずっと前から欲しかったのに手に入らない……」こういうことを言い続けているとき、「現実と直面」し続けているとき、「実際はこうだから」というドラムを叩き続けているとき、皆さんはその「波動」パターンを自分のなかで活性化し続けています（信念とは考え続けている思考にすぎないのです）。

信念とは考え続けている思考にすぎません。そしてその信念が、あなたが望むものからあなたを遠ざけています。信念とは考え続けている思考にすぎません。そしてその信念が、

「本当のあなた」からあなたを遠ざけています。あなたが本当に欲しいのは信念です。信念は考え続けた思考にすぎないのです（書き留めましたか？）（おもしろいですね）。

「信念とは考え続けている思考にすぎないのであり、わたしは自分が望むことと反対のことを考え続けているなら――わたしの望みが実現しないのは、わたしが望むことと反対のことを考えているからだ」

興味深い考え方だとは思われませんか？　どう見ても明らかな、でも興味深い、まったく新しい決定的な考え方ですよね。「信念とはわたしが考え続けている思考にすぎないなら、自分でも信じられないことを考え続けて、ついにはそれが信念になったら、どうなるだろう？　信念は考え続けている思考にすぎないなら、もっと希望のある考え方をしたらどうなるだろう？」

「そんなことはばかげていますよ、エイブラハム。事実が否定しています。事実は……」

なるほど、それが今まで話してきた間違った思い込みなんです、そうじゃないですか？

それこそ、うざったい考えというものでしょう。

「するとわたしは現実と直面し、それが当然だと感じるから、望まないことに関心を向け、それによって間違った思い込みのうえに人生を築いてきたと、そうおっしゃるんですか？」

エスターでさえ、ときには言うのですよ。「でもエイブラハム、それが事実なんです。それが事実なんですよ」。まるで、だから関心を向けるのは当たり前だ、とでも言うように。

信念とはあなたが考え続けている思考にすぎない。そして、皆さんは人間として、とてもたくさんの非生産的な信念を抱いていますが、そのなかの最大のものはこんな信念です。「わたしには価値がない」「苦労しなければ何も得られない」「わたしは間違った星のもとに生まれたに違いない」「これはカルマに違いない」「母親が悪かったのかもしれない」「政府がいけないんだ」(おもしろいですね)。皆さんは間違った思い込みを信じたい、そうではありませんか？　「政府がいけないんだ。彼らがあんなことをしなければ、すべてはもっと違ったのに」

わたしたちが言いたいのは、信念とは考え続けている思考にすぎないと思い出して、パワーを取り戻しなさい、ということです。「信念とはわたしが考え続けている思考にすぎない。信念とはわたしが考え続けている思考にすぎない。ああ、信じられるようになってきたぞ(おもしろいでしょう)。信念とはわたしが考え続けている思考にすぎない。信念とはわたしが考え続けている思考にすぎない。何かを考えると、それが『波動』を活性化させる。『波動』が活性化すると、引き寄せの作用点が働きだす。だから、同じことを考え続けていれば同じ作用点が活動し続け、その活性化した『波動』に『引き寄せの法則』が働いて、わたしはその結果を得ることになる。それが事実だからではなく、それが現実だからでもなく、『引き寄せの法則』は一貫してわたしが考え続けている思考に働くからだ」

だから、皆さんが何かを考え続け、その結果として望まないことが起こり続けているなら、違うことを考えたほうが賢明なのではありませんか？

「でもエイブラハム、それは論理的ではないでしょう。わたしに非現実的なことを考えろと言うんですか？　頭を雲のなかに、あるいは砂のなかに突っ込んでいろと言うんですか？　ありもしないことがあるつもりになれ、と言うんですか？」

そのとおり。

「幻想を抱けと言うんですか？　想像していろと？　真実でない言葉を使えと言うんですか？」

そのとおり。

「わたしは太っているのに、スマートなふりをしろと言うんですか？」

そのとおり。

「貧乏なのに、豊かなふりをしろと言うんですか？」

そのとおり。

わたしたちは、自分の望みに合ったことを、それが信じられるまで考え続けなさい、と言いたい。自分の望みに合ったことを、それが信じられるまで考え続ければ、宇宙の力があなたにその信念の証拠を与えてくれるでしょう。だが自分の目で見るまでは信じないと言っていたら、願いは実現しない。見る前に信じなくてはいけないのです。

信念とはなんなのか？

「信念とはわたしが考え続けている思考です」

ほら、だから言ったでしょう。それが信念になるまで、考え続けなくてはいけないのです。信じられるまで考え続けなくてはいけない。そして、信じられるようになったとき、そのとおりになります。簡単なことです（ほら、一丁あがり）（おもしろいでしょう）。それでは何が邪魔をしているのでしょう？　「現実」です。「事実」です。それがどうかしましたか？

あなたがたが目にしているもの、現実とよんでいるものは、凝固し、融合し、連結した思考にすぎません。誰かが長いこと考え続けていた思考です。

エスターが「エイブラハム、そのことを考えるべきじゃないですか。だってそれが事実だから？」と聞くと、わたしたちは答えます。すべての事実とは多くの人たち、あるいはある人が長いこと関心を向け続けて、そのことを考えて、考えて、考えて、考えて、考え続けたこと——それが似たものを引き寄せるまで考え続けたことですよ、と。

あなたがたの周りにはあらゆることが、あなたがたの望みと一致する——とあなたがたが信じている——ありとあらゆることがあります。それから、あなたがたの望みを否定すると信じている、ありとあらゆることがあるでしょう。どうやってそれを見分けますか？

自分のなかで活性化している信念のどれが自分の役に立ち、どれが役に立たないか、どうすれば知ることができますか？　どれが自分にとっていいもので、どれが有害なものか、どうすればわかりますか？　自分にとっていい信念とは考えたときいい気分になるものです。有害な信念とは考えたときに嫌な気持ちになるものです。

「でもエイブラハム、考えても特にいい気分にも悪い気分にもならないものがたくさんありますよ」

考え続けてごらんなさい。考えはどんどん大きくなるから、すぐにわかりますよ。言い換えれば、そこが「引き寄せの法則」の素晴らしいところです。最初の微妙な段階では違いが感じられないかもしれない。でも、長く考えていれば考えているほど、その思考は活性化します。そして活性化すればするほど、引き寄せのパワーは大きくなります。引き寄せのパワーが大きくなればなるほど、結果は明白になります。どうなるか、はっきりとわかるのです。これは創造者にとっては完璧な環境ですし、経験すれば皆さんにも必ずわかります。

さて、皆さんは何について話したいと思われますか？　皆さんが重要だと思うことならなんでも喜んでお話ししますよ。タブーはありません。完璧な展開になるでしょう。自分が指名されなかったからといって、心配することはありません。指名された誰かがあなたが話したいことを提起してくれるでしょう。

この集まりは、皆さんがそれぞれ身体をここに運んでくる前に実現している。だから、皆さんが話したいことで十分に取り上げられないものは何もありません。皆さんがちゃんと聞いているかどうか、という小さな問題はありますが、でもわたしたちは完全に話すとお約束します。そして、既に創造されている「ヴォルテックス」とこの見事な「最先端」の思考の展開に皆さんがどれほど近いところにいるかに応じて、皆さんが耳を傾けようとするかどうかに応じて、しっかりと聞きとれるように、ベストを尽くして皆さんを引き込んでみましょう。さあ、今日は非常にいい日になるでしょう。では、始めましょうか。

子どもは幸福を自分の力で獲得すべきか？

質問者　わたしたちには子どもがいます。今、6歳で、2年前からわたしたちといっしょにいるのですが、わたしたちは彼をエイブラハムの子どもとよんでいます。彼は創造を通じて(「許容・可能」にすることを通じて)わたしたちのもとへやってきました。とても楽しい素晴らしい子どもです。今では彼が望むもの、願うものはなんでも実現するとわたしたちは信じているくらいです。だが彼に何かを求められるのが、わたしは気に入らないのです。「玩具を買ってくれる? あのキャンディを買ってくれる? これが買いたい。あれが買いたい」。そのとき、わたしのなかで葛藤が起こるんです。「いいよ。さあ、お金だ。欲しいものを買っておいで。おまえはなんでも欲しいものを手に入れられるんだよ」と言っていいのだろうか。彼が欲しがるものは別に有害じゃない……ただ、わたしのほうが嫌なのです。何が嫌なのか、よくわからないんですが……でも、どんどん与えていいのかとなると、非常に難しいのです。それでもエイブラハムの教えによれば、彼は望むものをなんでも手に入れられるはずですよね。彼が欲しがるものをなんでも与える力がわたしたちにあるなら、それでもいいでしょう。どうして与えてはいけないんだ、と思います。でも、待てよ、とも思うのです。「ちょっと待てよ、子どもにそんなに際限なく与えていいのか?」

エイブラハム なるほど、もう一つ、間違った思い込みが明らかになりそうですね。「子どもを甘やかしたら、子どもをダメにしてしまう」(そうそう、あなたは最近、子どもにとても厳し

いんじゃありませんか？」（おもしろいですね）

質問者　子どもに聞いたら、そのとおり、と言うでしょうね。

エイブラハム　問題は、わたしたちから学んだことが原因のようですね。言い換えれば、わたしたちが何度も繰り返して、誰かに何かをしてやるのは「君にはできないから、わたしがしてやるんだよ」と告げているのと同じだと言ってきたのを、あなたは聞いている。それで、あなたのなかで矛盾が生じているのでしょう。あなたはインスピレーションのきっかけになりたい。だが、息子さんの幸福《ウェル・ビーイング》が流れる唯一の「ヴォルテックス」になっては困る、と思っている。

息子さんが純粋な期待という場から求め、あなたが与えたいという衝動を感じるなら、あなたがたはぴったりと合った宇宙の要素です。言い換えれば、あなたとあなたの手段が息子さんの「波動の預託口座」のなかへ引き寄せられ、あなたは協力的な要素の一つになって、息子さんの望みをなんでも実現する力になります。

だから、あなたに気づいてもらいたいのはたった一つです。与えなければならないという義務感ではなく、与えたいという願望から与えるなら、決してまずいことにはなりません。言い換えれば、息子さんが純粋に求めるなら、純粋に期待する場から求めるなら、あなたはまず断れないでしょう。でも、息子さんの調和が崩れていて、隙間を埋めるために求めているなら、何かが足りないという貧しい気持ちでいるなら、あなたはまずいと感じるでしょう。そして、それはまずいのです。

質問者　息子はわたしが与えないだろうなと考えながら求めることがあります。それも自分の願望と調和していないということですね。

エイブラハム　そのとおり。そしてあなたも、間違った思い込みを抱かせて息子さんを混乱させたくはないでしょう。言い換えれば、あなたが与えてくれると期待していないなら、そしてあなたが自分の「ナビゲーションシステム」と彼の「ナビゲーションシステム」を無視してものを与えたなら、息子さんに間違った思い込みを抱かせることになりますし、あなたも嫌な気分になるでしょう。(質問者：そうなんです。困ったことです)。だから、あなたが自分自身にも息子さんにも――誰にでも同じですが――いつでも言い聞かせるべきことは、「あなたの波長が合っていれば、あなたの思いどおりになる。わたしも宇宙のほかのすべての要素も、あなたの思うようになるだろう。だがあなたの波長が乱れていたら、そして波長が整わない場所から求めて、頼んだり、すがったり、足りないんだと要求したりしても、うまくはいかないよ」ということなんです。

言葉で説明してわかる歳になっているかどうかは別として、あなたが伝えたい基本的なことはこういうことですが、あなたはきっと明らかな実例を(あなた自身です)通して伝えたいと思うでしょう。「わたしは自分の『源《ソース》』と調和していたい。そうすれば、それと一致した何もかもが、わたしたちすべてを同じ場へと連れて行ってくれる。そして、物事はうまく展開していく。だが、あなたの不調和を補う役目を引き受けたくはない。わたしはいつでもあなたが調和していることを願っている。あなたの調和はあなた自身への最大のプレゼントであり、わたしへの最大のプレゼントだ。わたしの調和はわたしへの最大のプレゼントであり、あなたへの最大のプレゼントだ。そのことを身をもって教えてあげたい」

それを息子さんに理解できる方法で示してやることができます。簡単な質問をすればいいのです。「おまえが欲しいものはなんだい? なぜ、欲しいの?」。息子さんが、だって持っていないから欲しいと言ったら、あなたは冗談っぽく笑って答えます。「それはおかしな理由だな。持っていないから欲しい、と言うなら、持っているより持っていないほうがいいと思うよ。でも、楽しいから欲しいと言うのなら、おまえに賛成するけどね」。言い換えれば、あなたが息子さんに教えたいのはそういうことです。

質問者　素晴らしい。そう、それはいいですね。

エイブラハム　息子さんは既にわかりかけていますよ。でも、あなたが一貫していないので混乱しているんです。

質問者　まったく、そのとおりです。わたしは息子の創造の邪魔をしているような気がします。それで……

エイブラハム　息子さんには、こう言えばいいのです。「いいかい、わたしをあてにしないなら、おまえはもっと大きな創造ができるかもしれないね。だって、わたしは……」

質問者　そう、わたしもそう考えていたのです。息子には自分で望みをかなえる力がある。どうしてわたしがここにいるんだろう、って。

エイブラハム　楽しいからですよ。

質問者　なるほど。

エイブラハム　どうして息子さんを引き取ったのですか？

質問者　楽しくて、おもしろいからです。

エイブラハム　楽しい……言い換えれば、あなたがたはみな、お互いの「波動の預託口座」のなかにいるのです。そして「引き寄せの法則」があなたがたを集めた。「引き寄せの法則」はほかのいろんなものもすべて引き寄せています。それが楽しい。わかるでしょう。でも、そこに間違った思い込みが一つあります。「わたしは息子をダメにしたくない。頼めばなんでも聞いてもらえると思わせたくない」。でも、わたしたちは、それのどこがいけないんですかと聞きたいのです。

「わたしがそばにいれば、息子を愛しているから、いつでも望みをかなえてやるだろう。でも、それでは世間に出て行くとき、息子にはその準備ができていないことになるのではないか」

わたしたちは言いたい。息子さんの波長が整っていなければ与えないというやり方をすれば、「引き寄せの法則」によって作り上げられた世界に対して、息子さんの準備が整わないはずはない。そして、息子さんも調和しておらず、あなたも調和していないなら、あなたには何も与えることができない。だから「引き寄せの法則」の働きに対して息子さんの準備が整っていない、ということではないのです。

家庭のなかに、あなたが知っている「引き寄せの法則」のミニチュア版を設定することです。そうすればあなた自身も息子さんも、世界のどんなことにも対応できるはずです。そうでしょう。親たちが間違った思い込みで「宇宙の法則」を歪めると、子どもは世間に出て行くときに準備ができていない、ということになるのです。

「波動の調和」が大きな要素で、その他のことは二の次、三の次、それどころかずっと下の要素です。でも、何が正しくて何が間違いなのかを決めようとする（それが、わたしたちが話している間違った思い込みなのですが）人たちがとても大勢いて、その人たちは調和を無視しています。調和がすべてだというのに。

それが難しいんだ、とあなたがたが言いたいのもわかります（多くの親たちがそう言います）。あなたがたは子どもたちに基本ルールを教えたいと思っている。子どもたちが健やかに育ってほしい、路上で遊んでもらいたくない、スリガラスを食べたりしてもらいたくないし、公園で変質者と遊んでは困る。言い換えれば、守ってやらなければならないことがたくさんあるのでしょう。だが、わたしたちが言いたいのは、あなたがた自身が調和することで子どもたちに調和を教え、それを親子関係の基本にすれば、子どもたちにいつでも間違いなく頼りになるものを与えたことになるのですよ、ということです。

そこで、息子さんが何かを求めて、あなたがいい気分ではないとしたら、そのときの完璧な答えはこうです。「なぜかわからないんだが、わたしはどうも嫌な感じがする。そして、わたしには自分に約束していること、特におまえに関して約束していることがある。いい気分でなかったら、ちゃんと調和を感じるまでは行動しない、ということなんだよ。だから、これはいい考えだと感じたら、つまり自分の全体との調和を感じられたら、それから実行しようね。それまでは、嫌な感じがすることは要求しないでおくれ」。これが、あなたが子どもさんたちに言いたいことでしょう。調和していないときには、わたしは決して行動しない。嫌な感じだったら、わたしは決して行動しない。わたしは嫌な感じだったら、決して行動しない。それは君がどれほど望んでいるかとは関係がないんだ。わたしは嫌な感じだったら、決して行動しないよ。

皆さんだって、お子さんたちが公園やどこかで誰かに何かをしろと言われて、「僕は嫌な感じがするときには、絶対に何もしないよ」と答えたら、素晴らしいと思いませんか。

（質問者：いいですね、素晴らしい）「僕は何もしないよ……」と。

「この店で、いっしょにキャンディを万引きしようよ。いつだってやってるんだ。すごくおもしろいぞ」

「僕は嫌な感じがするときには、絶対に何もしないよ」（質問者：いいですね、すごいな）

「何を言ってるんだ。つかまるもんか。だいじょうぶだよ。たいしたことじゃない。誰にもわからないさ」

「僕は嫌な感じがするときには、絶対に何もしないよ」

「なんでだよ。なんだ。臆病者」

「さっきより、もっと嫌な感じだ（おもしろいでしょう）。君はとても嫌な感じだ。君とは遊びたくない。君は嫌な感じだよ。君は嫌な感じだ。僕は嫌な感じの子とは遊ばないし、嫌な感じのことはしない。僕はいつだって調和していたいんだ。パパから教わったんだから」

皆さんは誰かに「どうせ、あなたはやらないんでしょう」と言われたことがありませんか。そしてあなたは考える。ああ、やるもんか。そう信じていればいい。君の流れには抵抗できないからな。君のネガティブな期待には抵抗できないよ、と。「期待しない」という場からあなたをせっついて、何かをさせようとする人に会ったことはありませんか？まあ、これは大げさに言っているのですが、あなたがお子さんに抱く夢がかなう場所に行かなくてはいけない、とわかってほしいのです。

質問者　そして、そこにとどまるんですね。そうでしょう。

エイブラハム　そこにとどまっている必要はないんですよ。ただ「宇宙の法則」を知る必要があるだけです（もう、ご存じですね）。それから間違った思い込みを捨てなくてはいけない。そして、いつまでも誰かに何かをやれと動機づけておくことはできないこと、それだけは覚えておいてください。

そりゃあなたのほうが大きくて、強くて、言うことをきかないとひどいことになるぞと脅せば、相手は言うことを聞くでしょう。馬だって調教できますからね（馬は大きいですよ）。でも、喜びに満ちた馬には絶対にならないですね。しかし、相手の最善の部分を見れば、そしてその最善のバージョンのある場所にあなたが行けば、あなたはその部分と調和するし、一つの信号を発することになります。そうすれば、あなたはインスピレーションの一部になる。おわかりでしょう。

誰かがあなたを見て愛し、最善を期待してくれたという経験はありませんか？　そのときあなたはかつてなかったほどに輝いたのではありませんか？　誰かがそういうふうに感じてくれないと、輝くのはとても難しいと気づいたのではありませんか？

ほかの人たちは関係ないと思ってほしいのです。わたしたちは誰にでもそう言います。くだらない批判をする人たち（親も含まれます）を忘れて、自分の「波動」のギャップのことだけを考えてほしいのです。でも、あなたは「意図的な創造者」だし、なによりもその創造を自分のものにし、それをお子さんに伝えたいと願っているでしょう。（質問者：そのとおりです）。とてもラッキーなお子さんですね。わたしたちがラッキーという意味はおわかりでしょう。ラッキーといっても運に恵まれるかどうかとは関係ありません。親御さんが誤りのない一貫性のある「宇宙の法則」はどう働くかを学ぼうとしている環境を得られたのが、とてもラッキーだということです。

質問者　前にも教えてくださっているとは思うのですが、せっかくセミナーに参加したのですから、つまり、わたしが神さまに（それは自分自身だとおっしゃるでしょうね）お話しできるとすれば聞きたいのですが……子育てでいちばん大事な三つのこととはなんでしょうか？

エイブラハム　「子どもは今のままで完璧であり、もっと大きくなりつつある」「子どもはわたしの願いを満足させるためにやってきたのではない」「子どもがすることを見ていい気分になるのはわたしの仕事だ」「わたしを喜ばせることは子どもの仕事ではない」。ああ、四つになってしまいましたね……。

質問者　ありがとうございます。

恋人どうしの適切な期待とは？

質問者　「波動」をチェックする機会を与えていただいて、ありがとうございます。「波動」をチェックできてよかったです。わたしは人間関係についてのあなたがたの教えをたくさん聞いてきましたし、自分の必要性を満たすために相手を頼ってはいけないと強調なさっていることも知っています。確かにそうだと思います。

エイブラハム　なぜなら、あなたは頼るたびにがっかりしますからね。あなたの必要性を満たすのは彼らの仕事ではないのです。

質問者　そうなんですね。そのことはよくわかりました。特に最初のころですね。最初に一対一の感情的な必要性を抑える。自分が満ち足りるために誰かをあてにしてはいけない。そういうことですね。わたしは何年かかけてそういう見方を身につけてきました。ところであなたがたの教えのなかには、今、大勢の人はコミットメントとか期待という言葉を「死ぬまで」あれやこれやをしてくれる、あるいは「わたしが望むとおりにしてくれれば、わたしは幸せになれる」という意味にとっている、というのがありますね。それで……

エイブラハム　間違った思い込みですよ、間違った思い込み（おもしろいでしょう）。

質問者　そこで、わたしもあなたがたの言葉を一生懸命に聞きすぎた者の一人なんですが……

エイブラハム　わたしたちの教えはまだ終わってませんよ。

質問者　あなたがたは、さっき言ったようなコミットメントや期待は厳しすぎるだけでなく非現実的だとおっしゃいました。それも、そのとおりだと思います。

エイブラハム　それは間違った思い込みがベースにあるからです。そのことは、よくわかってほしいと思います。ベースがぐらぐらしていたら、何も始めることはできません。やり遂げることもできないのです。不釣合いなほどの創造性を発揮しないかぎりはね。

質問者　確かに今は間違った思い込みの時代ですね。でも、あなたがたがこのダイナミズムを説明しているのを聞いていますと、ときどき、その……一夫一妻制への期待も含まれているのかな、と思うことがあるんです。困ったときに誰かがそばにいてくれることへの期待も含まれているのかな、と。それにほかの種類の期待も、ですね。

そこでわたしの質問ですが、人間関係において、相手に対する非現実的ではない、あるいは厳しすぎない期待というものがあるのでしょうか？

エイブラハム　それは、こういうことです。もちろんあなたがたが選択肢というビュッフェテーブルを見て回って、好みのものを見つけるのは間違っていません。おかしいのは、ある人を選んで、自分の好みに合わせてくれと要求することです。そうではなくて、自分の好みを自分の「波動の現実」に託し、「引き寄せの法則」によってすべてを整えようとすべきなんです。そうすれば、あなたは自分が蒔いた種から収穫することができる。これは全然別のことですよ。言い換えれば、もちろんあなたは選択して生きていく。何が自分にとってうれしいかを細かくはっきりと決めて選択する。それはどこをとっても素晴らしいことです。ただし、一人の相手にそのすべてを求めるな、ということです。そんなことをしたら変になります。

あなたの「波動の預託口座」を活気づかせましょう。そこに関心を集中して、「波動を一致」させるためにベストを尽くしましょう。そうすれば「引き寄せの法則」が働いてすべてを整え、あなたのもとへ持ってきてくれます。あなたの「波動」はそのすべてと一致しているのだから――そのときは邪魔をする要素はないのです。

だが、あなたが言っているのはこういうことでしょうね。あなたはデータを見て、自分が何を望むかを決めるが、しかし望むことと「波動を一致」させる努力をしない。だから今あるものに関心を向ける。今あるものに関心を向ければ、望むものと「波動は一致」しません。そこであなたは言う。「わたしは自分を律することができず、自分が望むものを見ていない。今あるものを見ている。だからあなたが変化して、わたしのすべての期待に応える必要がある。あなたがそうしてくれれば、わたしは満ち足りるだろう」。だから、変になるんですよ。

自分が何を望むかをわからせてくれた誰かに、あるいは人々に、自分が望みをかなえるために（そうなればいいですけどね）自分が望むものになってくれ、と要求してはいけません。そうではなくて、その人たちは「創造の第一段階」（「求める」という部分）なのですから、それでいいのです。自分の意志と決断で、自分が望むものに関心を集中しましょう。そうすれば宇宙が望みをかなえてくれますよ。

間違った思い込みをして、物事を逆に行おうとする人たちがたくさんいます。そういう人たちは言うのです。「あなたがこんなふうに行動してくれれば、わたしはもっといい気分になれる。その努力をしてくれないのは、わたしをあんまり愛していないってことだから、恨むよ」

もし、その相手に反論できるなら、こう言うでしょうね。「おいおい、あなたの望むすべてになるのは、わたしの仕事ではない。あなたを刺激して何を望むかをはっきりさせるのがわたしの仕事だ。あなたが何を望むのかがはっきりすれば、あとはわたしは関係ない、というのがわからないのかな？　あなたの望むものになれと言わないでおくれ。あなたが望むものに関心を集中し、実現させればいい。わたしのことは放っておいてほしい！」

「いや、あなたがわたしの望むものになってほしい。あなたはわたしの願望のきっかけになった。あなたがわたしを成長させなければ、こんな問題はなかった。だからあなたには、成長したわたしになる責任があるではないか」（おかしいでしょう）

このことは覚えておく価値があります。今いるところに立って、まだ実現していない何かを望んでいることに気づいたら、それなのに自分を律して望むものに目を向ける代わりに、願望のきっかけになったことに目を向けていたら、あなたはきっと関心の向けどころが調和していないと感じる。そのときはきっと自分でも気づかないうちに、今あるものを触媒として自分の「波動」の流れを決めてしまうでしょう。だから自分が望むものとは違う思考を抱き続ける。そのことを考え続けます。そこで信念というか慢性的な思考パターンが出来上がり、そのせいであなたが望むことはどうしても実現しない。

こういうふうに説明すれば、もっとよくわかるでしょうか。あなたが誰かに関心を持ち、それがきっかけであることを望んだとする。その望むことに関心を集中できれば、あなたがいる場所に宇宙が望むものを運んできてくれます。そうなると、今までは何かを与えてくれなかった人が与えてくれる、というようなことがどんどん起こります。それはあなたが「波動」を整えたからで、それ以外のことはナンセンスです。

さっきあなたは一夫一妻制という言葉を使いましたね。それがあなたの望みなら、そしてそうでない人とつきあっているなら、あるいは逆でもいいですが（どっちでも同じです。あなたの望むことと相手が望むことが違う、ということです）、あなたは自分が望むことに、なぜそれを望むのかに関心を集中する——すると宇宙があなたの望みをかなえてくれます。だが、相手が望むこと、つまり自分が望まないことに関心を集中していたら、そのつもりではなくても、あなたの「波動」は望まないほうに流れるから、望みはかないません。すると、あなたは相手が悪いのだと考え続ける。しかし、あなたの「波動」のなかで活性化されたことが実現するだけなのです。

別の言い方をすれば、こういうことになります。ほかの人たちはすべて関係ないと決めて、自分が望むことに関心を集中することで、自分自身の思考パターンを意図的に育てるのです。**自分の望みをかなえるうえで、ほかの人に主役を演じてくれと頼むのはやめましょう。**あなたの望むことに「波動を一致」させる役割を演じるのはあなただけです。そうすればたちまち「宇宙」が望みどおりのことを実現してくれますよ。そうなったら、あなたは自分も好きなように生きるし、人々も好きなように生きればいいと思うことができます。世界じゅうがそれぞれ選んだ生き方をすればいい。それによってあなたが邪魔されたり、望みの実現が妨げられることはないのですから。そんなことはもともとないのですが、ときにはそんな気がしてしまうのです。

わたしたちがよく話す「タバスコとパイ」のたとえ話があります。「このキッチンにはタバスコがある。わたしのパイにタバスコが混じってしまうよ」

いいえ、タバスコはあなたのパイには混じりません。

「でも、キッチンにあるじゃないか。わたしのパイに混じるかもしれない」

いいえ、タバスコはあなたのパイには混じりません。

「でも、キッチンにあるから、わたしのパイに混じるかもしれない。キッチンになければ、ずっと安心なんだ（おかしいでしょう）。わたしのパイに混じらないように、キッチンからタバスコを片づけてくれよ。ほら、わたしのパイに混じっちゃった！　だから言ったじゃないか。だから言ったじゃないか。タバスコがキッチンにあるから、わたしのパイに混じってしまうって」

そこでわたしたちは言うのです。キッチンにタバスコがあるからパイに混じったのではありません。あなたがタバスコから目を放せなかったから、だから混じったのです。あなたがタバスコのことばかり言っているから、タバスコの「波動」を活性化させ続けたから、だから混じったのです。

人生で出会うほかの人たちが何を望んでいるかなんて、あなたが思っているほど、あなたには関係がないのです。でも、その人たちが何を望んでいるとあなたが考えるか、それは関係があります。だから、あなたがいつでも自分の望むことだけに関心を向けて、ほかのことは無視していれば、「宇宙」はあなたの望みをかなえるほかはないし、あなたが今思っているよりもはるかに多くの望みをかなえてくれるでしょう。

既にあなたの人生にある要素から望みが実現する場合も多いのです。まったく新しい場所に行く必要はない。ただ、いつもまったく新しい「波動」にする必要があるだけなのです。

あなたの期待とあなたが見ているものとの関係、あなたが感じ取れるのはそれだけです（それだけをしっかりとわかっていただければと思います）。いいですね。

質問者　わかりました。ありがとう。

エイブラハム　どういたしまして。

ノースカロライナ州アッシュヴィルの日曜セミナー終了

エイブラハム　このセミナーは言葉では言い尽くせないほど楽しかったですね。皆さんは「最先端」の創造者で、わたしたちは今まで誰も行かなかった場所にまで行きました。思考を先へと進めるのはワクワクすることですし、調和や一致を感じると満たされた気持ちになります。今日、皆さんの多くが調和し一致したはずです。

今日はとても生産的なテーマが展開されました。そしてたくさんの間違った思い込みが解消されて、「法則」に則った前提と入れ替わりました。最後にもう一つだけお話ししたいと思います。わたしたちは大騒ぎしすぎている。実はわたしたちが思っているよりも、物事はずっとシンプルなのです。気を楽にしなさい。自分に優しくしなさい。楽しいと感じることをしなさい。ホッとすることを探しなさい。そして、望むすべてが既に整ってあなたを待っている場所へ（あなたがたの「創造のヴォルテックス」へ）さっさとお入りなさい。

皆さんを偉大な愛が包んでいます。そして、今も、それからいつまでも、わたしたちは幸福な未完了の状態に永遠にとどまるのです。

本書で取り上げた「間違った思い込み」

1　わたしは物質世界の存在か、それとも「見えない世界」の存在のいずれか、つまり生きているか死んでいるかのどちらかである

2　両親はわたしよりずっと前に生まれているから、それにわたしの親だから、わたしにとって何が正しくて何が間違っているかを、わたしよりよく知っている

3　望まないことに強力に圧力をかければ、望まないことは消えてなくなる

4　わたしは正しい生き方をし、ほかの人にも影響を与えて正しい生き方をさせるために、ここにやってきた。わたしが正しいと感じることは、ほかのすべての人にとっても正しい生き方である

5　わたしのほうが年上だから、わたしのほうが賢い。だから、あなたはわたしの指導に

従うべきだ

6 物質世界の身体として生まれた日に、わたしという存在は始まる。価値のない存在として生まれてきたわたしは、もっと大きな価値がある者になれるように、人生で苦労してがんばらなくてはならない

7 一生懸命努力してがんばれば、なんでも成し遂げられる

8 人と仲よくするには、同じことを考え、同じことを望んでいなくてはならない

9 喜びに達する道は行動だ。嫌な気分のときには、行動することでいい気分になれる。嫌な気分の原因だと思われる状況に関心を集中し、そこから立ち去るのだ。そこから立ち去りさえすれば、いい気分になるだろう。望まないことから離れれば、望むところに到達できる

10 望むものをすべて獲得することはできない。だから、何かを得るためには大事なこと

をあきらめなくてはならない

11 好ましくない状況から離れれば、自分の願いがかなうだろう

12 わたしたち全員が願いをかなえたいと思うが、それに応えるリソースには限りがある。だからわたしが何かの望みを満足させると、ほかの人はその分を奪われる。すべての豊かさ、リソース、解決策は既に存在して、発見されるのを待っている。誰かが真っ先に見つければ、残りの人たちはもう同じ発見をすることはできない

13 正しい生き方と間違った生き方がある。そしてすべての人が正しい生き方を発見し、同意して、次にその正しい生き方を他人に強制すべきである

14 「神」はあらゆることを考えたうえで、すべてについて最終的かつ正しい結論に達している

15 物質世界の身体に宿っている間は、現世の行動に対する真の報償も懲罰も知ることは

できない。報償や懲罰は、あなたがたがこの世で死を迎えたあとに示されるだろう

16 地上の人たちの過去・現在の生き方、あるいはその結果のデータを集めれば、絶対的に正しいことと間違っていることをはっきりと分けることができる。それさえ明確になれば、あとはその結論を強制するだけだ。そして誰もがわたしたちの決定に同意すれば――もっと重要なことだが、誰もがわたしたちの決定に従えば――地上に平和が訪れるだろう

17 ごく特別な人たち、例えば「わたしたちの」集団の創設者のような人たちだけが、神から正しいメッセージを受け取ることができる。したがって、ほかのすべてのメッセンジャーたちのメッセージは全部間違いである

18 社会の好ましからぬ要素を探し出すことで、わたしたちはそれを退治できる。好ましからぬ要素がなくなれば、わたしたちはもっと自由になるだろう

19 いい人間関係とは、それぞれが相手の同意と相手との調和を見いだすことを最優先し

ようという意志を持った関係である

20 物質世界に関心を集中していると、スピリチュアルな面が薄れる

21 すべての答えを知って、その答えを子どもに教えるのが、親としての仕事である

22 成功している人たちを批判しながら、自分が成功することは可能だ

訳者あとがき

本書では「ヴォルテックス」という表現が導入されている。「ヴォルテックス」とは「渦巻き」という意味だ。人にはそれぞれの創造の渦巻き「ヴォルテックス」がある。わたしたちが今まで実現してきたこと、実現したいこと、こうありたいと願った自分、それがすべて「ヴォルテックス」のなかに既に存在する。その幸せと創造の渦巻き「ヴォルテックス」は、常にわたしたちの願望とその願望を実現するためのあらゆる要素を吸い込みつつ、回転し続けている。その「ヴォルテックス」に近づき、そこに入れば、思いどおりの人生が展開する、とエイブラハムは語る。今までの「波動の預託口座」「波動の現実」という表現に比べて、非常に動的でエネルギッシュで力強い。なんだかワクワクしてくる。

では、その「ヴォルテックス」に入るにはどうするか。幸せであるべく生まれてきた本来の自分、「見えない世界の本当の自分」と波動を一致させることだ。それには、いつも今より少しでもいい気分になる考え方をしようと決意し、実行すればいい。そして、そのために役立つのが「ナビゲーションシステム」だが、ほかにも本書には、間違った思い込みの指摘など、いろいろと具体的なアドバイスが盛り込まれている。

今回のテーマは人間関係だ。人間は一人では生きていけない。幸福も不幸もほとんどが人間関係によって決定される。その人間関係もまた、わたしたち自身が創造している。望みどおりの人々、人間関係を引き寄せるだけでなく、その人たちからいい面を引き出す力もわたしたちにはある、とエイブラハムは言う。ただし、決して相手を（あるいは状況や関係を）コントロールしようとしてはいけない。そんなことはそもそも不可能で、そのうえ「本当の自分」に反し、「ヴォルテックス」から遠ざかる結果になるからだ。

世の中は生きやすいとはいえない。「望むこと」をベースにするのではなく、「望まないこと」に目をすえて、状況をコントロールしようと必死に努力している人たちがたくさんいるように思う。だが、そんながんばりは効果がない、とエイブラハムは教えている。それよりも「望むこと」に目を向けて、いい気分になることを心がけなさい、と。

今回も「宇宙の法則」エバンジェリスト「にしき」さん（http://hikiyose.sbcr.jp/）こと編集者の錦織 新さんに大変お世話になった。この場を借りてお礼を申しあげたい。本当にありがとうございました。

吉田利子

エスター・ヒックス、ジェリー・ヒックス
見えない世界にいる教師たちの集合体であるエイブラハムとの対話で導かれた教えを、1986年から仲間内で公開。お金、健康、人間関係など、人生の問題解決にエイブラハムの教えが非常に役立つと気づき、1989年から全米50都市以上でワークショップを開催、人生をよりよくしたい人たちにエイブラハムの教えを広めている。
ホームページ
http://www.abraham-hicks.com/
「引き寄せの法則」公式サイト
http://hikiyose.sbcr.jp/

吉田利子（よしだ・としこ）
埼玉県出身。東京教育大学文学部卒業。訳書に、ニール・ドナルド・ウォルシュ『神との対話』シリーズ（サンマーク出版）、ビル・エモット『日はまた昇る』、スタンリー・ビング『孫子もタマげる勝利術』（ともに草思社）、オリヴァー・サックス『火星の人類学者』（早川書房）、ゲイリー・レナード『神の使者』（河出書房新社）、ドロシー・ロー・ノルト『いちばん大切なこと。』（PHP研究所）など。

理想《りそう》のパートナーと引《ひ》き寄《よ》せの法則《ほうそく》
幸《しあわ》せな人間関係《にんげんかんけい》とセクシュアリティをもたらす「ヴォルテックス」

2010年3月25日　初版第1刷発行
2013年5月11日　初版第3刷発行

著者　エスター・ヒックス　ジェリー・ヒックス
訳者　吉田利子《よしだとしこ》
発行者　小川　淳
発行所　ソフトバンク クリエイティブ株式会社
〒106-0032　東京都港区六本木2-4-5
☎03-5549-1201（営業部）
装幀　松田行正＋山田知子
DTP　クニメディア株式会社
印刷・製本　中央精版印刷株式会社

落丁本、乱丁本は小社営業部にてお取り替えいたします。定価は、カバーに記載されています。
本書の内容に関するご質問等は、小社学芸書籍編集部まで必ず書面にてお願いいたします。

ISBN 978-4-7973-4675-6